BIBLIOTHEE⟨·BREDA
Wijkbibliotheek Teteringen
Scheperij 13
tel. 076 - 5878811

D1421208

MARION VAN DE COOLWIJK

MEIDEN ZIJN GEK...

OP CHATTEN

Van Holkema & Warendorf

BIBLIOTHEE⟨·BREDA
Wijkbibliotheek Teteringen
Scheperij 13
tel. 076 - 5878911

ISBN 978 90 475 1374 2
NUR 283
© 2010 Van Holkema & Warendorf
Uitgeverij Unieboek | Het Spectrum bv,
Postbus 97, 3990 DB Houten

www.unieboekspectrum.nl
www.marionvandecoolwijk.nl

Tekst: Marion van de Coolwijk
Omslagontwerp: Marlies Visser
Foto's omslag: Getty Images
Achtergrond omslag: Image taken from Indian Textile Prints,
published by The Pepin Press, www.pepinpress.com
Zetwerk binnenwerk: ZetSpiegel, Best

HOOFDSTUK 1

'Zet hem dan bij je favorieten.' Saartje sloeg haar
boek dicht en keek achterom of de meester haar kant
op keek. 'Echt, die site moet je in de gaten houden,'
ging ze verder toen ze de meester in de deuropening
met juf Agnes zag praten. 'Er staat elke dag wel iets
nieuws op.'

Valerie, die tegenover haar zat, knikte. 'Via Hyves
heb ik al mijn vrienden het adres doorgegeven. Heb
jij al gekeken?'

Nikki schudde haar hoofd. 'Nee, nog geen tijd
gehad, maar vanmiddag ga ik even naar die site.' Ze
keek naar de donkere lucht die boven het schoolplein hing. 'Het gaat toch regenen.'

Janine, die al die tijd niets had gezegd, schoof op haar
stoel heen en weer. 'Zullen we vanmiddag spelen?'

Haar drie vriendinnen keken haar verbaasd aan.

'Spelen?' vroeg Saartje. 'Hoe bedoel je?'

'Nou, gewoon… bij mij of bij jou. We kunnen muziek luisteren of…'

'Nee,' viel Saartje haar in de rede. 'Ik ga op de computer.' Ze wendde zich tot Nikki en Valerie. 'Ik heb een nieuw programma gedownload. Echt waanzinnig. Ik zal jullie de naam wel even mailen.' Terwijl Saartje enthousiast uitlegde wat het programma allemaal kon, boog Janine haar hoofd. Ze deed net of ze verdiept was in haar leesboek. Haar keel zat dicht en ze kon haar teleurstelling nog maar net verbergen. Hadden die meiden dan echt niet door dat zij zich buitengesloten voelde?

Janine sloeg een bladzijde om en maakte van haar lange blonde haren een beschermend gordijn. Nu kon niemand zien dat ze haar tranen in bedwang moest houden. Het was gewoon niet eerlijk! Het leek wel of Saartje, Nikki en Valerie, haar beste vriendinnen, de laatste weken alleen nog maar tijd hadden voor hun computer. Werkelijk elke dag kletsten ze over wat ze nu weer op internet hadden gezien.

Janine wist dat als zij een eigen computer zou hebben, ze dan waarschijnlijk net zo fanatiek zou zijn geweest. Maar ja… ze had geen computer. Sterker nog, er was helemaal geen computer bij haar thuis te vinden. Haar ouders waren hopeloos ouderwets en vonden een computer in huis niet nodig. Janine baalde enorm: ze was de allerlaatste puber op aarde die in een computervrij huis woonde en ze haatte het. De enige twee computers die ze wel eens mocht gebruiken stonden op school… op de gang. Met dertig kinderen in de klas bleven er precies tien minuten per week over voor haar.

Natuurlijk had ze haar ouders de oren van hun kop gezeurd om een computer aan te schaffen, maar tot nu toe was het niet gelukt. Het begon Janine steeds meer te irriteren dat haar vriendinnen het alleen nog maar over de computer konden hebben. Konden ze niet gewoon een keertje over andere dingen praten? Onderwerpen waar zij ook over mee kon praten, zoals jongens, kleding of muziek? Ze kreeg zo langzamerhand het gevoel dat ze haar vriendinnen kwijtraakte.

'Kom je straks bij mij?' vroeg Nikki.

Janine keek op en schudde haar hoofd. 'Nee, laat maar.'

Er viel een stilte en Janine beet op haar lip. Als ze haar nu maar niet zielig vonden. Nikki nodigde haar alleen maar uit omdat ze geen computer had.

'Ik… eh… ik heb met Niels afgesproken.' Ze forceerde een glimlach. 'Helemaal vergeten, sorry. Ander keertje.'

'Ja… oké dan.'

Janine verbaasde zich over de aarzelende toon waarop Nikki reageerde, maar voordat ze daarover na kon denken, ging de bel. Iedereen sloeg zijn boek dicht.

Meester Kas vroeg iedereen zijn tafel op te ruimen en langzaam stroomde de klas leeg. Janine liep met haar vriendinnen mee naar buiten.

'Weet je zeker dat je met Niels hebt afgesproken?' vroeg Nikki, die naar Myren zwaaide die net de fietsenstalling in liep.

Janine vond de vraag vreemd, maar ze knikte.

'Nou, tot morgen dan,' zei Nikki. 'Doe de groeten aan Myren.'

'Ja, tot morgen,' antwoordde Janine aarzelend. Wat had het vriendje van Nikki hier mee te maken? Ze draaide zich om en liep naar de fietsenstalling, waar Niels bezig was het slot van zijn fiets te halen. Myren zat al op zijn fiets en wachtte zo te zien tot Niels klaar was.

'Hoi, Niels!' Janine probeerde zo luchtig mogelijk te klinken.

Niels keek op. 'Hé, schoonheid.' Hij liet zijn fietsslot los en spreidde zijn armen. 'Wat kijk je sip.'

Janine dook in zijn armen. Ze was gek op Niels. Ze hadden nu al vier weken verkering en Niels was nog altijd enthousiast als hij haar zag. Dat voelde goed.

'Ik baal gewoon ontzettend,' mompelde Janine.

'Vertel!' zei Niels met een knipoog. 'Nieuwe roddels?' Hij liet haar los en boog zich weer over zijn fiets.

Janine keek naar Myren die op zijn horloge keek. 'Eh… gaan jullie ergens naartoe?'

Niels knikte. 'Ja, dat weet je toch? Myren en ik gaan oefenen.'

'O ja.' Janine herinnerde het zich weer. Niels en Myren hadden zich aangemeld voor een voetbaltoernooi en zouden de komende week elke middag gaan trainen. Zij en Nikki mochten deze week niet storen. Helemaal vergeten! Daarom keek Nikki natuurlijk zo raar toen ze vertelde dat ze met Niels had afgesproken.

'Je moet de groeten hebben van Nikki,' flapte Janine eruit.

'Dank je, groeten terug.' Myren wierp een ongeduldige blik op Niels, die eindelijk zijn fietsslot los had. 'Tempo, man!'

Niels trok zijn fiets uit het rek en stapte op. 'Dag, schoonheid!' Hij zwaaide nog even naar Janine en reed de fietsenstalling uit. 'Zij die gaan trainen, groeten u.'

Langzaam slenterde Janine het schoolplein af. Ze had totaal geen haast. Het zou weer eens een vetsaaie middag worden. Soms leek het wel of de hele wereld om computers en voetbal draaide.

Janine lag op de bank en staarde naar het televisiescherm. Ze was er met haar gedachten niet bij. De regen kletterde tegen de ramen en het werd al donker.

'Ben je moe?' Janines moeder kwam de kamer in

met een bos bloemen in haar handen. Zonder een antwoord af te wachten, ging ze verder. 'Kijk eens wat een prachtige bloemen ik heb gehad van papa.' Ze legde de bloemen op het aanrecht en haalde een vaas uit een van de keukenkasten.

Janine keek vanaf de bank toe hoe haar moeder de bloemen uitpakte, afsneed en in de vaas zette. Zo te zien was haar moeder in een opperbest humeur. 'Mam?'

'Ja, lieverd.'

'Heb je het er nog met papa over gehad?'

'Waarover?'

Janine zuchtte. 'Ja, wat dacht je?'

Haar moeder draaide zich om. 'Wat doe je chagrijnig.'

'Vind je het raar?' Janine ging rechtop zitten. 'Jullie doen net of ik gek ben!'

Op dat moment kwam haar vader de kamer in gelopen. 'Zo, daar ben ik. Na een dag hard werken heb ik nu wel zin in…' Zijn vrolijke blik verdween als sneeuw voor de zon toen hij het boze gezicht van Janine zag. Met een snelle blik keek hij naar zijn vrouw. 'Gezellig hier!' mompelde hij en hij draaide zich om. 'Ik ga eerst maar even douchen, denk ik. Tot zo!'

Terwijl haar vader de kamer uit liep, zag Janine dat haar moeder verderging met de bloemen. 'Mam!' Haar boze toon kon ze maar moeilijk onderdrukken. 'Jullie zouden erover nadenken. Dat is nu bijna een week geleden. Hoe lang duurt dat nadenken van jullie?'

Haar moeder zette de laatste bloem in de vaas en gooide het groenafval in de groene bak. 'Zijn ze niet prachtig?' Met een bewonderende blik zette ze de vaas met bloemen op tafel.

'Fantastisch,' riep Janine. 'Krijg ik nog antwoord?'

Haar moeder ging naast Janine op de bank zitten. 'Janine, je doet onredelijk. Papa en ik hebben gezegd dat het op dit moment gewoonweg niet kan. Natuurlijk denken we na over een oplossing. En natuurlijk begrijpen we dat je straks een computer nodig hebt voor school. Maar nu toch nog niet?'

'O, dus je weet wel waar het over gaat,' zei Janine.

'Ik weet heel goed waar het over gaat. Hoe kan ik dat missen? Je herinnert ons er dagelijks aan, Janine.'

'En?' Janine keek verwachtingsvol. 'Mag het?'

Haar moeder zuchtte. 'Ik dacht dat papa en ik duidelijk genoeg waren geweest.'

'Maar iedereen heeft een computer!' riep Janine. 'Saartje, Nikki, Valerie. Ik kan nooit met ze meedoen en word steeds eenzamer. Zien jullie dat dan niet?'

'Als iedereen in de sloot springt, spring jij er dan achteraan?'

'Dat is flauw,' zei Janine. 'Je snapt best wat ik bedoel.'

'En jij snapt heel goed wat wij bedoelen. Het gaat gewoon niet, Janine.'

'Een tweedehandscomputer is echt niet duur. En...'

'Daar gaat het niet om,' viel haar moeder haar in de rede. 'Een computer zelf is niet eens zo heel duur. Het gaat om de aansluiting, abonnementsgeld en al die extra apparatuur zoals een printer. Echt, het is niet zomaar iets. Papa en ik hebben op dit moment het geld niet voor zo'n uitgave. De auto moet nieuwe banden en het studiegeld voor Roel moet ook nog betaald worden.'

Janine gaf het op. 'Laat maar,' mompelde ze. 'Ik ben niet belangrijk genoeg. Ik raak niet alleen al mijn vriendinnen kwijt, ik blijf ook hopeloos achter bij de rest van de mensheid.'

'Dat is niet eerlijk,' zei haar moeder. 'Je bent heel belangrijk, maar op dit moment moeten we keuzes maken.'

'Ja, ja...' Janine stond op en drukte de televisie uit. 'Bloemen kopen, dat is belangrijk!'

'Wat ga je doen?'

'Naar mijn kamer.'

'We gaan zo eten.'

'Roep maar als het klaar is,' bromde Janine en ze trok de kamerdeur achter zich dicht.

'Is het veilig?' Janines vader kwam de gang in gelopen. Zijn natte haren hingen in sliertjes naar beneden.

'Voor jou wel,' zei Janine.

Haar vader glimlachte. 'Bloemen doen wonderen.'

12

'En kosten geld,' mompelde Janine en ze rende de trap op. Even later schalde er harde muziek door haar kamer. Het was niet eerlijk! Op dit moment zaten haar vriendinnen met elkaar te chatten over van alles en nog wat, en zij…

Op dat moment ging haar mobieltje. Verbaasd zag ze wie er belde. 'Hé, Nikki,' zei ze toen ze opnam. Het gevecht om een eigen mobieltje had ook maanden geduurd. Haar ouders hadden het pas goedgekeurd toen haar oudere broer Roel haar zijn oude toestel had gegeven met een prepaidkaart erbij van tien euro. Op voorwaarde dat Janine haar eigen beltegoed zou betalen, mocht ze de telefoon houden. Apetrots was ze geweest op haar telefoon, totdat haar buurjongen haar had gewezen op het prehistorische model dat ze had.

'Alleen neanderthalers hebben nog zo'n ding,' had hij geroepen. 'Dat je daarmee de straat op durft.'

Van schaamte had ze haar telefoon nooit meer aan iemand laten zien, behalve aan Niels, Nikki, Valerie en Saartje. Zij wisten hoe moeilijk de ouders van Janine het hadden.

'Ben je thuis?' De stem van Nikki klonk vragend.

'Ja, ik was helemaal vergeten dat Niels en Myren gingen trainen. Stom!' Janine hoopte maar dat Nikki nu tevreden was.

'Waarom kwam je niet naar mij toe dan?'

'Je was al weg.'

Het bleef even stil aan de andere kant van de lijn. Janine plukte aan haar shirt. 'Nog nieuwtjes?'

'Ja, Saartje mailde een link van YouTube. Echt, ik heb nog nooit zo'n mafketel gezien. Die vent zat op een stapel van wel vijftig computers en heeft daar drie dagen gezeten. Een wereldrecord. Je moet even kijken. Vooral het eind is vet. Dan valt die hele stapel om. Echt lachen.'

'Ja, grappig.' Janine wist dat ze niet enthousiast klonk, maar haar stem wilde gewoon niet anders. Een hele stapel computers... konden ze er dan niet eentje aan haar geven?

'Ik bewaar de link, goed?' zei Nikki. 'Kom je morgen kijken? Laat ik je ook meteen de nieuwste clip zien van die Amerikaanse band.'

Janine balde haar vuisten. Hoe meer Nikki vertelde, hoe rotter ze zich voelde. Ze miste echt alle belangrijke dingen.

'Janine? Ben je er nog?'

'Ja... eh... ik moet hangen. We gaan eten.'

'Oké, tot morgen.'

'Tot morgen.'

Met één druk op de knop was de verbinding verbroken. Janine smeet haar mobieltje op haar bed en staarde uit het raam naar buiten. Het was nu helemaal donker. Zo te horen regende het nog steeds behoorlijk. Van beneden klonk de stem van haar moeder. 'Janine! Eten!'

Op de trap kwam de geur van bloemkool haar tege-moet. Met een zucht liep Janine de kamer binnen. Werkelijk alles in haar leven zat tegen. Een slechtere dag dan deze kon ze toch niet meer meemaken... of wel?

HOOFDSTUK 2

Nikki had zo aangedrongen dat Janine er echt niet onderuit kon. Ze móést na schooltijd met haar vriendin mee naar huis.

'Als onze vriendjes voetbal belangrijker vinden dan hun vriendinnen,' zei Nikki, toen ze achter haar computer zaten, 'dan gaan wij ook los.'

Janine had geen idee wat Nikki bedoelde, maar ze zei niets. Afwachtend keek ze hoe Nikki haar computer opstartte.

'Wist je al dat ik op Facebook sta?' Nikki opende het programma en liet haar pagina zien.

Janine keek haar ogen uit. Ze wist niet eens dat dit bestond. Van Hyves had ze wel eens gehoord. Op school had ze daar samen met Saartje naar gekeken. Eigenlijk mocht dat niet van de meester. Er zat wel een beveiliging op de computer van school, maar Saartje wist zoveel van computers,

het was een makkie voor haar om die te omzeilen.
'Kijk,' zei Nikki. 'Saartje en Valerie zijn mijn vrienden.' Ze liet Janine zien wat de meiden al hadden gestuurd.
Nikki opende MSN en er klonk een piepje.
'O, Valerie is online.' Nikki klikte en Janine kon meelezen.

Super V zegt: Wel zielig for JWWW.

Nikki schoof wat ongemakkelijk heen en weer.
'Wie is JWWW?' vroeg Janine nieuwsgierig.
'O, iemand van internet,' antwoordde Nikki. Ze typte haar antwoord en drukte op ENTER.

Lady NikNik zegt: JWWW KM

'Wat zeg je nou?' Janine snapte er niets van. Ze wist wel een paar afkortingen, maar deze kende ze niet.
'O, niets bijzonders.'
Er verscheen weer een nieuwe tekst.

Super V zegt: Hé, Janine! Leuk dat je er ook bent.

Janine keek verbaasd. 'Hoe weet Val nou dat ik er ook ben?'
'Ze wist toch dat je met mij meeging?' zei Nikki.

'O ja, dat is ook zo.' Janine keek naar de namen van Nikki en Valerie. 'Mag ik ook wat zeggen?'

'Ga je gang.' Nikki schoof iets opzij en liet Janine achter het toetsenbord zitten. 'Heb je eigenlijk al een account?'

Janine schudde haar hoofd.

'Wacht,' zei Nikki. 'Dan maken we die eerst voor je aan.'

Even later kon Janine met haar eigen account een bericht typen.

```
Yes9 zegt: Hoi Valerie, dit ben ik… Janine.
De yes komt van ja en nine is negen in het
Engels. Dus ik ben Yes9.
```

Het antwoord kwam sneller dan ze had verwacht.

```
Super V zegt: Leuk. Lukt het verder een
beetje op de computer?
```

Wat teleurgesteld leunde Janine naar achteren. 'Ze doet net of ik debiel ben, zeg. Ik weet heus wel iets van computers, hoor.'

Nikki knikte. 'Ze bedoelt het niet zo. We vinden het gewoon allemaal rot voor je dat je geen computer hebt.'

'Ik ben niet zielig,' riep Janine en ze typte de woorden in en drukte op verzenden. 'Zo,' zei ze. 'En laat

me nu dat filmpje maar eens zien van die gek op die stapel computers.'
Nikki opende YouTube.

De hele middag zaten de twee meiden achter de computer. Janine genoot van alle filmpjes, berichten en informatie. Meer dan ooit besefte ze hoe leuk een computer kon zijn.

'Zullen we gaan chatten?' Nikki kwam binnen met twee glazen limonade en een schaaltje chips.

'Chatten?' Janine aarzelde. 'Met wie dan?'

'Gewoon met vreemden.' Nikki opende een nieuwe site. 'Kijk, hier kun je met iedereen uit de hele wereld chatten.' Ze drukte op een paar toetsen. 'Laten we beginnen met Nederland.' Ze gaf Janine een knipoog. 'Die kunnen we tenminste verstaan.'

Het scherm opende en Nikki wees op de aanwezige chatters. Janine keek haar ogen uit. De eerste paar minuten keek ze toe hoe Nikki gesprekken begon met wildvreemde jongens en meiden. Steeds als het saai of vervelend werd, klikte Nikki door naar de volgende.

'Heel simpel,' zei Nikki, toen ze een jongen weg-klikte die flauwe opmerkingen maakte. 'Weg ermee!'

Na een tijdje ging Janine zich ermee bemoeien en samen met Nikki chatte ze met allerlei mensen. Ze begon er steeds meer lol in te krijgen. Een meisje uit Groningen vertelde dat ze pas verkering had met een

jongen uit haar klas. Nikki en Janine gaven haar enkele handige tips.

Een jongen uit Zeeland was vreselijk aan het op-
scheppen over zijn golfprestaties en Janine schreef
dat hij een uitslover was. Dubbel van het lachen
klikten ze de jongen weg.

De middag vloog voorbij en uiteindelijk sloten ze
het chatprogramma af. Het was al laat en Janine
moest naar huis.

'Morgen weer?' vroeg Janine, die superenthousiast
was geworden. Ze stonden in de gang en Janine trok
haar jas aan.

Nikki schudde haar hoofd. 'Nee, morgen en over-
morgen moet ik met mijn moeder mee naar mijn
oma. Maar misschien mag je bij Valerie of Saartje?'

'Ik zie wel,' zei Janine een beetje teleurgesteld en ze
stapte naar buiten. 'Tot morgen.'

Net voordat het helemaal donker werd, was Janine
thuis. Haar ouders waren druk bezig met het eten.

'Wat eten we?' Janine tilde het deksel van een van de
pannen op en zag rijst pruttelen.

'Nasi,' antwoordde haar moeder. 'Was het gezellig
bij Nikki?'

Janine knikte. 'Ja, we hebben gecomputerd. Echt
cool.'

Haar moeder keek op. 'En wat doe je dan zoal op de
computer? Spelletjes?'

'Ook.' Janine legde het deksel weer op de pan. 'We hebben gechat.'

'O.' Haar moeder roerde in de pan. 'Met je vriendinnen?'

'Nee, met wildvreemden. Echt gaaf. Wist je dat er in Groningen...'

Nog voordat ze haar zin kon afmaken, viel haar moeder haar in de rede. 'Janine, dat wil ik niet hebben.'

Verbaasd keek Janine haar moeder aan. 'Hoezo?'

'Iedereen weet dat dat heel gevaarlijk is.' Haar moeders stem klonk bezorgd. 'Weet je wel hoeveel engerds er op internet ronddwalen?'

'Mam, doe niet zo dramatisch! Ik weet heus wel wat ik doe. Ik ben niet gek, hoor.'

'Nee, maar die engerds wel.' Haar vader bemoeide zich er nu ook mee. 'Dit is nou precies waar je moeder en ik bang voor zijn. We willen niet dat je zomaar zonder begeleiding op internet surft. Ik snap niet dat Nikki's moeder dit goedvindt.'

Hij keek zijn vrouw aan. 'Ik vind dat we haar even moeten bellen.'

Janine ontplofte bijna van woede. 'Als je dat maar uit je hoofd laat!' Ze stampte naar de bank en plofte in de kussens. 'Ik vertel jullie nooit meer wat.'

Er viel een stilte en Janine wist dat haar opmerking raak was.

'Lieverd.' Haar moeder kwam bij haar zitten. 'We

willen juist wel dat je dingen vertelt. Computers zijn handig, maar ook levensgevaarlijk. Papa en ik willen je beschermen.'

'Ik ben geen klein kind meer.'

'Nee, dat zeggen we ook niet. We zeggen alleen dat je voorzichtig moet zijn.'

'Dat ben ik toch.'

'Je bent nog een kind, Janine. Wij beslissen als ouders. Beloof me dat je niet meer met vreemden chat.'

'En wat is de definitie van "vreemden"?' snauwde Janine.

'Mensen die je niet kent.'

Janine grijnsde. 'Dus als de oma van Nikki iets stuurt, dan antwoord ik dat ik haar niet ken en dus niet met haar mag praten?' Ze keek uitdagend. 'En die mevrouw achter de kassa bij de supermarkt moet ik zwijgend passeren. Die ken ik namelijk ook niet. En wat dacht je van die nieuwe meester op school? Stel nou dat die iets aan me vraagt?'

'En nu is het genoeg!' De bulderende stem van haar vader deed Janine schrikken. 'Dat brutale toontje bevalt me helemaal niet, jongedame! Als jij niet wilt begrijpen wat wij bedoelen, dan ben je inderdaad nog te jong voor dit soort dingen.'

'Maar…'

'Aan tafel nu en ik wil er geen woord meer over horen.'

Janine ging zwijgend aan tafel zitten en keek toe hoe

haar moeder de rijst afgoot en de andere pan in gooide. Na een paar keer geroerd te hebben op hoog
vuur, kwam ze met de pan naar tafel.

'Eet smakelijk,' zei Janine zo vriendelijk mogelijk
toen ze wat nasi op haar bord schepte. 'Sorry.'

'We hebben het er nog wel over,' zei haar moeder.

'Ze weet echt niets,' zei Nikki. Ze zat op het randje
van haar bed en belde met Saartje. 'Stom ook dat
Valerie zei dat ze het zielig vond voor jeweetwelwie.
Gelukkig had Janine geen idee wat JWWW beteken-
de. Toen ik met KM antwoordde dat Janine meekeek,
had ze ook dat niet door.'

'Echt zielig, hoor,' zei Saartje.

'Ik snap niet dat ze geen computer mag.'

'Haar ouders hebben geen geld,' wist Saartje.

'Zeggen ze,' vulde Nikki aan. 'Je hebt toch wel geld
voor een computer voor je kind? Een tweedehands
kost amper wat. Haar broers hebben ook ieder een
computer.'

'Ja, duh… die wonen al op zichzelf. Zij verdienen
hun eigen geld.'

'Mijn moeder en ik hebben het ook niet breed, maar
een computer is superbelangrijk voor je…'. ze wachtte even, 'voor je schoolwerk.'

Saartje lachte. 'Dus dat heb je je moeder wijsge-
maakt?'

'Mijn moeder weet hoe belangrijk een computer is,'

ging Nikki verder. 'Wij vechten er soms om en hebben nu zelfs een rooster gemaakt.'

'Ik denk dat de ouders van Janine zelf niet eens weten wat een computer allemaal kan.'

'Zou best kunnen,' zei Nikki. 'Maar Janine is daar mooi klaar mee.'

'Kunnen wij niet iets voor haar regelen?'

'Hoe bedoel je?'

'Nou, gewoon. Geld inzamelen of zo.' Saartje dacht na. 'Of een tweedehandscomputer zoeken.'

'Ik ben bang dat dat niet genoeg is,' zei Nikki. 'Janine vertelde mij dat haar ouders ook het abonnement niet kunnen betalen.'

'Niet willen betalen.'

'*Whatever*, een computer alleen is dus niet genoeg.'

Het was even stil.

'Ik merk gewoon dat Janine zich schaamt,' vervolgde Nikki. 'En ze is te trots om erover te praten.'

'Ja, zielig hoor.'

Nikki glimlachte. 'Jij met je zielig! Jij vindt iedereen zonder computer zielig.'

'Nou, het is toch zo? Wie heeft er tegenwoordig nou geen computer? Zonder computer ga je dood van verveling en mis je alle ins en outs in de wereld.'

'Janine is niet zielig,' zei Nikki. 'Ze heeft gewoon pech met haar ouders.'

'O, ik moet eten,' zei Saartje. 'Ben je na het eten nog even online?'

'Is goed! Tot straks.'
Terwijl Saartje ophing, zag Nikki dat Valerie weer online was.

```
Super V zegt: Ben je er nog?

Lady NikNik zegt: Ja, was met S aan het
bellen. Moet je niet eten?

Super V zegt: Heb ik al gedaan. Jij?

Lady NikNik zegt: Straks. Janine is naar
huis.

Super V zegt: O, wel zielig voor haar, hè?

Lady NikNik zegt: Zei Saar ook al. Ze wil
iets doen.

Super V zegt: O, cool! Een actie? Help
Janine aan een computer.

Lady NikNik zegt: Klinkt stom. Dat wil ze
vast niet.

Super V zegt: Tuurlijk wel.

Lady NikNik zegt: Ze schaamt zich kapot.
```

Super V zegt: Dan doen we het stiekem.
Morgen bij mij?

Lady NikNik zegt: Nee, kan ik niet. Vrijdag?

Super V zegt: OK, niets tegen J zeggen.

Lady NikNik zegt: *Promise*, doei.

HOOFDSTUK 3

'Die presentatie moet volgende week vrijdag klaar zijn.' Meester Kas liep tussen de tafeltjes door en keek ernstig. 'Ik wil dat je verschillende opties van het programma gebruikt. PowerPoint heeft heel veel mogelijkheden, dus probeer er zoveel mogelijk uit. Dat levert punten op. Tot zover vragen?'
Myren stak zijn vinger op. 'Mag je zelf het onderwerp kiezen?'
'Ja, je bent me net voor.' De meester glimlachte. 'Vandaag wil ik van iedereen weten waar de presentatie over gaat. Alles mag, zorg er alleen wel voor dat het leerzaam is voor de hele klas.' Hij wendde zich tot Claire. 'Dus geen presentatie over je chatvriend uit Chili.' Er klonk gegiechel in de klas. 'Maar wel een presentatie over bijvoorbeeld het land Chili.'
Claire knikte dat ze het begrepen had.
Meester Kas pakte een stapel papier van zijn bureau.

'Jullie krijgen nu een halfuur de tijd om over het onderwerp van je presentatie na te denken en dat dan op dit formulier in te vullen. Beantwoord de vragen en je hebt al een heel goed beeld van je presentatie. Succes!'

Terwijl de meester de formulieren uitdeelde, begon iedereen met elkaar te praten.

'Wat doe jij?' vroeg Valerie aan Saartje, die tegenover haar zat.

'Hmm, ik denk dat ik het over computers ga doen. Het ontstaan en zo.'

Valerie knikte instemmend. 'Daar weet je veel van. Leuk!'

'En jij?'

'Geen idee,' zei Valerie. 'Waar weet ik nou veel van?'

'Acteren?'

Valerie zuchtte. 'Wat moet je daar nu over vertellen?'

'Van alles,' zei Saartje. 'Je kunt vertellen over je audities voor die soap.'

'Ja, die mislukt zijn.'

'Helemaal niet. Je deed toch mee? En je zat in de laatste ronde. Dat kan niemand anders zeggen.'

'Dat is waar.' Valerie keek teleurgesteld. 'Toch balen dat ze mij niet kozen. Ik had me zo verheugd op die rol.' Ze sloeg haar armen over elkaar. 'Echt, ik had er alles voor gegeven om mee te doen.'

'Je hebt toch foto's gemaakt van die audities?'

Valerie knikte.

'Nou, dan kun je die in je presentatie verwerken. Gaaf toch om foto's van al die bekende acteurs te laten zien.'

'Denk je?'

'Ik weet het wel zeker.'

Saartje en Valerie bogen zich over hun formulier heen en begonnen ijverig te schrijven. Janine staarde uit het raam. Ze had geen flauw idee welk onderwerp ze moest kiezen. Toch had ze er wel zin in. Op school hadden ze geleerd om met PowerPoint te werken. De andere kinderen van haar klas hadden allemaal een computer thuis en konden elke dag oefenen. Gelukkig had de meester haar de afgelopen weken meer oefentijd op school gegeven, zodat ze er net zo behendig in was geworden als de rest.

Nikki gaf haar een schop onder tafel. 'Weet jij al wat?'

Janine keek naar Saartje en Valerie, die hun formulier al voor de helft hadden ingevuld. 'Nee.'

'Zullen we samen?'

Janine aarzelde. 'Mag dat?'

'Weet ik veel. Wacht...' Nikki stond op en liep naar de meester. Zijn schuddende hoofd was antwoord genoeg. Teleurgesteld kwam Nikki weer zitten. 'Mag niet.'

'Jij kunt het over voetbal doen,' stelde Janine voor.

'Saai,' bromde Nikki. 'Dat doen vast een heleboel jongens al. Ik wil iets wat niemand heeft.'

'Doe je het over je vader. Die was toch brandweer-man?'

Nikki's gezicht betrok en Janine had meteen spijt van haar opmerking. Ze wist dat Nikki haar vader nog steeds erg miste. Sinds zijn dood was Nikki's leven totaal veranderd. Samen met haar moeder was ze naar deze stad verhuisd om een nieuw leven op te bouwen zonder haar vader. Ondanks het feit dat Nikki erg vrolijk deed, wist Janine dat ze nog altijd heel verdrietig was.

'De brandweer,' mompelde Nikki. 'Hmm, niet gek. Ik heb heel veel foto's van mijn vader en verhalen heb ik ook genoeg.'

'Zie je wel,' zei Janine opgelucht. 'Dan heb je echt iets bijzonders.'

Nikki keek op. 'Nu jij nog. Wat doet jouw vader ook alweer?'

'Die zit op kantoor.' Janine grijnsde. 'Niet echt in-teressant.'

'En je moeder?'

'Pff, dat is ook een saaie mus.' Janine zuchtte. 'Net als ik. Eigenlijk heet onze familie Mus... Saaie mus.'

'Jij bent geen saaie mus,' antwoordde Nikki. 'Niels wordt echt niet verliefd op een mus, hoor.'

Janine glimlachte. 'Weet je wat? Ik doe het over fa-milie.'

'Familie?'

\

'Ja, wat voor soorten families er zijn... gezinnen. Kijk, jij woont alleen met je moeder. Ik ben ook het enige kind thuis, maar ik heb twee oudere broers die het huis al uit zijn. In Afrika wonen gezinnen met één man, tien vrouwen en een heleboel kinderen.'

'Echt waar?'

Janine knikte. 'Dat heb ik gelezen. Vroeger had je stammen. Dat was je familie. Die had je nodig voor de veiligheid. In je eentje zou je het niet overleven in de wildernis. Nu is je familie alleen maar voor de leuk.'

'Of niet leuk,' grapte Nikki.

'Best een vet onderwerp,' zei Janine en ze pakte haar pen. 'Nu maar hopen dat ik de computer op school iets vaker mag gebruiken dan jullie.'

'Hoezo?'

'Nou, jullie kunnen thuis aan de presentatie werken. Ik niet.'

Nikki dacht na. 'Hé, Janine...' Ze wachtte even. 'Dat is het!'

'Wat?'

'Je moet tegen je ouders zeggen dat je een computer nodig hebt voor je presentatie.'

Janine aarzelde.

'Ja,' ging Nikki verder. 'Je ouders hebben toch gezegd dat het nog niet nodig was voor school? Nou dan! Nu heb je hem echt nodig voor school.'

Janine keek naar de meester, die bij het bord stond.

'Ja, maar ik kan het op school doen. Ik denk wel dat de meester mij daar de tijd voor geeft. Hij weet dat ik thuis geen computer heb.'

'Ja, maar dat weten je ouders niet.'

Saartje en Valerie gingen zich er nu ook mee bemoeien.

'Goed plan,' zei Saartje.

'Ik weet het niet, hoor,' zei Janine. 'Ik wil mijn ouders ook niet in de problemen brengen.'

'Hoezo?' ging Valerie verder. 'Of ze nu of over een halfjaar een computer kopen, maakt ook niet uit, toch? Ze hebben dat geld vast wel ergens klaarliggen voor je, wedden?'

Janine aarzelde. 'Ik wil niet liegen.'

Valerie sloeg een arm om Janine heen. 'Je zegt gewoon dat je een presentatie voor school moet maken op de computer en dat iedereen dat thuis doet. Dan lieg je niet.'

'Of je zegt dat je de komende week elke dag bij een van ons bent, omdat je anders je presentatie niet op tijd afkrijgt,' zei Nikki. 'Dan voelen ze zich vast schuldig.'

'Denk je?' vroeg Janine.

'Dames!' Meester Kas kwam naar hen toe gelopen. 'Zijn jullie er al uit?'

Valerie liet Janine los. 'Ja hoor, mees. Alles onder controle.'

'Nog tien minuutjes,' riep de meester en terwijl hij

terugliep naar zijn tafel, bogen de meiden zich over hun formulier.

'Als het lukt, hoeven we vrijdag niet...' begon Valerie, maar ze stopte met praten toen ze de trap tegen haar benen voelde. Boos keek ze naar Saartje.

'Wat is er vrijdag?' vroeg Janine.

'Niets,' zei Saartje snel. 'Valerie vergist zich.'

'Eh... ja,' zei Valerie. 'Er is niks. Let maar niet op mij.'

Janine haalde haar schouders op en ging verder met haar formulier.

'Hoi, mam!' Janine gooide haar tas onder de kapstok en hing haar jas op. Ze had kort pauze tussen de middag en wist dat ze het goed moest spelen. Ze had maar één kans.

Haar moeder zette net twee borden op tafel. 'Pak jij even de melk?'

Terwijl Janine de koelkast opende, haalde ze diep adem. 'Mam?'

'Ja, lieverd.'

'We moeten een PowerPoint-presentatie maken op school.' Janine pakte de melk en liep naar de tafel.

'Klinkt interessant.'

'Ik ben vanmiddag dus niet thuis. En de rest van deze week en volgende week ook niet.'

'O?' Haar moeder draaide zich om. 'Hoezo?'

'Nou, zo'n presentatie moet je op de computer ma-

33

ken. Dat hebben we geleerd. Echt heel leuk.' Janine opende het melkpak en schonk de twee bekers vol. Ze durfde haar moeder niet aan te kijken. 'Ik ga bij Valerie, Saartje of Nikki op de computer werken.'

Er viel een stilte en Janine zag dat haar moeder nadacht. Ze draaide de dop op het melkpak en liep terug naar de koelkast. 'Moet de kaas ook op tafel?'

'Eh... nee, neem de boter wel even mee.'

Even later aten ze zwijgend hun broodje. Janine durfde niet veel meer te zeggen. Elk woord kon te veel zijn. Ze wilde niet liegen. Tot nu toe had ze de waarheid gesproken.

'Kun je die presentatie niet op school maken?' vroeg haar moeder.

Janine slikte. 'Jawel, maar dat schiet niet echt op. We hebben twee computers voor de hele klas.' Ze pakte een nieuwe boterham. 'Ik kan ook op school nablijven, maar dat is zo stil. Ik weet niet hoe laat de meester naar huis gaat, dus ik heb het zelf maar met de meiden opgelost. Dat is toch goed, mam?' Janine keek haar moeder recht aan en hoopte maar dat ze geloofwaardig overkwam.

'Ik vind het wel vervelend dat je nu je vriendinnen moet storen,' zei haar moeder.

Janine kon wel juichen. Het werkte. Nu heel kalm blijven. 'Ach, ze vinden het niet erg, hoor.'

'Ik praat wel met je vader.'

Nadat ze gegeten hadden, hielp Janine met het afruimen van de tafel. Daarna keek ze nog even televisie en ging toen weer naar school. Met een blij gevoel kwam ze op het schoolplein aan. Nog even en dan zou ze ook een computer hebben.

Niels was er al en stond op haar te wachten. 'Hé, Janine!' Hij sloeg een arm om Janine heen. 'Trainen is lang niet zo leuk als jij.' Janine legde haar hoofd op zijn schouder en glimlachte. Dit was de beste dag van haar leven. Dit kon niet meer fout gaan.

De schoolbel klonk en Niels liet haar los. 'Kunnen we van het weekend wat afspreken?'

Janine schudde haar hoofd. 'Dan ben ik bij Roel. Dat weet je toch?'

'O ja, je logeert dit weekend bij je grote broer in Amsterdam.' Niels leek teleurgesteld. 'Wanneer dan?'

'Ja, hoor eens,' zei Janine met een knipoog. 'Jij wilde zo nodig elke middag trainen met Myren.'

'Voor de wedstrijd,' riep Niels. 'We moeten oefenen.'

'Ja, dat weet ik.' Janine lachte. 'Het is niet anders.' Ze liep de fietsenstalling uit en wierp hem een kushandje toe. 'Zorg jij nou maar dat je kampioen wordt, anders is alles voor niets geweest.'

Ze rende de school in, waar haar vriendinnen al op haar wachtten.

'En?' Nikki keek gespannen. 'Is het gelukt?'

'Ik denk het wel,' zei Janine. 'Mijn moeder zou met mijn vader gaan praten. Ze voelde zich inderdaad schuldig.'

'Zie je nou wel,' riep Saartje. 'Het werkt altijd!'

'Maar ik voel me wel rot,' zei Janine. 'Het voelt als liegen.'

'Helemaal niet! Wij kunnen thuis aan onze presentatie werken, jij niet. Daar is niets aan gelogen.'

De hele middag dwaalde Janines gedachten af naar het gezicht van haar moeder. Het voelde dubbel. Dat ze misschien toch een computer kreeg maakte haar blij, maar de manier waarop ze dat had gedaan, was gemeen. Kon ze straks wel blij zijn met die computer?

Na schooltijd ging Janine met Saartje mee naar huis. Ze wist dat haar vader pas tegen etenstijd thuis zou zijn en ze wilde haar moeder voor die tijd niet onder ogen komen. Ze luisterden wat naar muziek, bekeken de nieuwe kleren die Saartje van haar ouders had gekregen en chatten wat met Valerie die thuis zat.

Rond halfzes ging Janine naar huis. Opgewonden, maar met lood in haar schoenen, stapte ze naar binnen. 'Ik ben thuis!' De jas van haar vader hing aan de kapstok en haar hart maakte een sprongetje. Haar vader was thuis. Zouden ze het al besproken hebben? Ze opende de kamerdeur en liep naar binnen. 'Hoi, pap. Hoi, mam.'

Haar ouders zaten op de bank en haar vader legde net de telefoon op de tafel.

'Ik ga naar mijn kamer.' Janine wilde zich omdraaien, maar de stem van haar vader hield haar tegen.

'Janine?'

'Ja?' Ze bleef met haar rug naar haar ouders toe staan.

'Kom er even bij, wil je?'

Janine kon een grijns niet onderdrukken. Dat was snel. Ze hoefde er niet eens moeite voor te doen. Met een neutraal gezicht draaide ze zich om. 'Is er wat?' vroeg ze zogenaamd onschuldig.

'Mama en ik willen even met je praten.'

Janine ging naast haar moeder op de driepersoonsbank zitten en wachtte af.

'Ik hoorde van mama dat je een presentatie moet maken met PowerPoint,' begon haar vader.

'Ja, hebben we geleerd op school,' bevestigde Janine. 'Ik ga het over families doen. Families en gezinnen door de eeuwen heen.'

'Dat is een mooi onderwerp.'

Janine keek tevreden. Dit kon niet meer misgaan. Nu vooral niet over computers beginnen.

Haar vader glimlachte. 'En nu ga je naar je vriendinnen de komende twee weken?'

'Ja.' Janine knikte.

'Omdat je zelf geen computer hebt,' ging haar vader verder.

Janine slikte. Nu kwam het erop aan. 'Ik... eh... op school krijg ik te weinig tijd,' zei ze en ze ontweek haar vaders blik. 'Er zijn maar twee computers voor de hele klas. Iedereen werkt thuis aan de presentatie. Anders schiet het niet op.'

'Dus omdat jij geen computer hebt, moet je bij je vriendinnen gaan zitten?'

Janine plukte aan haar shirt. 'Zo ongeveer. Ik vind het ook vervelend dat ik mijn vriendinnen moet storen, maar ik wil een goed cijfer halen.'

Haar vader leunde naar achteren. 'Je moeder voelde zich behoorlijk schuldig door jouw verhaal.'

Janine voelde zich ongemakkelijk. 'O, sorry. Dat was niet de bedoeling.' Ze sloeg haar ogen neer bij deze leugen. Natuurlijk was dat wel de bedoeling geweest.

'Fijn!' zei haar vader. 'Dat is maar goed ook, want ik heb de meester gebeld...'

'Wat?' Janines stem sloeg over.

Haar vader wees naar de telefoon. 'Ik had hem zojuist aan de lijn. Maar je hoeft je geen zorgen te maken. Je krijgt alle tijd van hem om je presentatie onder schooltijd op de schoolcomputer te maken. Ook hij vond het vervelend dat je je vriendinnen hiermee moest lastigvallen. Bovendien heb ik met hem afgesproken dat je deze én volgende week ook na schooltijd een uurtje op de computer mag werken. De meester is dan toch nog op school.'

Janine voelde de grond onder haar voeten wegzakken. Dit was een ramp. Nablijven op school! 'Maar...'

'Fijn, hè?' Haar vader keek haar doordringend aan.

Ze kon niet anders dan knikken. Haar hele plan was mislukt. Erger nog: het was er alleen maar rampzaliger door geworden. Met een laatste wanhoops-poging probeerde ze de situatie te redden. 'Maar Saartje, Valerie en Nikki vinden het niet erg, hoor, als ik kom.'

Haar moeder legde een hand op haar knie. 'Ik vind het een vervelende situatie. Als jij je presentatie op school maakt, voel ik me niet zo schuldig. Hoe denk je dat wij ons voelen?' Haar hand wreef zachtjes heen en weer over Janines knie. 'Echt, meisje, we doen ons best, maar op dit moment moeten we zuinig aan doen.'

Janine boog haar hoofd. Ze was in haar eigen val ge-lopen en vond het verschrikkelijk dat haar ouders zich zo schaamden. Ze had dit nooit mogen doen.

'Oké,' stamelde ze zacht. 'Mag ik nu naar mijn kamer?'

Haar ouders knikten en Janine liep zwijgend naar boven. Met een snik liet ze zich op haar bed vallen, waarna ze haar tranen de vrije loop liet.

HOOFDSTUK 4

Het was vrijdagmiddag en Saartje en Nikki fietsten meteen uit school met Valerie mee naar huis. Myren en Niels, de buurjongen van Valerie, fietsten gelijk op.

'Hoe gaat het trainen?' vroeg Nikki, die naast Myren reed.

'Goed,' antwoordde Myren. 'We gaan straks op het veldje bij mij penalty's oefenen. We gaan winnen, toch, Niels?'

Niels, die achter hen fietste, had het zo te merken niet gehoord. 'Huh?'

'Dat we gaan winnen!' herhaalde Myren.

'Tuurlijk!' Niels keek achterom.

'Ben je wat vergeten?' vroeg Myren.

'Nee, Janine...' Hij wachtte even. 'Ach, laat maar.'

'Wat is er met Janine?'

'Ik weet het niet,' zei Niels. 'Ze is zo... zo down de laatste tijd.'

'Waar is ze eigenlijk?' Myren keek Nikki vragend aan. 'Komt ze niet mee?'

'Ze gaat dit weekend naar haar broer,' zei Nikki. 'Ze wilde gelijk naar huis.'

Niels haalde zijn schouders op. 'Ja, ook zoiets. Normaal vindt ze een dag bij haar broer al te veel. Nu spreekt ze opeens een heel weekend met hem af.'

'Dat overleef je heus wel,' zei Myren lachend. 'Geniet lekker van je vrije weekend.'

Nikki gaf Myren een duw. 'Dat klinkt alsof je mij ook een weekend niet wilt zien.'

Myren slingerde met zijn fiets. 'Ho, ho... natuurlijk niet. Jou wil ik elke dag zien!'

'Ja, ja...' Nikki stak haar tong uit. Terwijl Niels hen inhaalde en ook Valerie en Saartje voorbijstoof, pakte Myren Nikki's hand vast.

Na een paar minuten fietsen waren ze er. Niels stond al bij zijn voordeur te wachten en gebaarde naar Myren dat hij op moest schieten. Myren liet Nikki los en zwaaide.

'Lekker klef, hoor!' riep Saartje, die het nog steeds moeilijk vond dat Myren Nikki leuker vond dan haar.

Valerie zette haar fiets in de schuur en liep naar de voordeur van haar huis. Nikki en Saartje zetten hun fietsen tegen het tuinhek en liepen achter Valerie aan naar binnen. Valeries moeder was nog op haar werk en zou pas tegen halfzes thuiskomen. Ze hadden het rijk alleen vanmiddag. De meiden trokken hun jas uit en haastten zich naar de keuken om wat te drinken.

'Het kwam mooi uit dat Janine weg moest vanmiddag,' zei Saartje.

Valerie schonk drie glazen fris in. 'Ja, ze had volgens mij niet eens door dat we samen hadden afgesproken.'

'We moeten haar helpen,' zei Nikki en haar vriendinnen waren het daarmee eens. De hele dag hadden ze hun ontmoeting van vanmiddag geheim kunnen houden voor Janine. Dat het plannetje van Janine mislukt was, vonden ze vreselijk. Janine was de afgelopen twee dagen niet te genieten geweest. Dat ze elke dag een uur moest nablijven om aan haar presentatie te werken, was nog het ergst. De meester was heel enthousiast over Janines doorzettingsvermogen, maar de meiden zagen dat Janine baalde. Het maakte de drie vriendinnen vastberaden: ze moesten een manier vinden om Janine te helpen.

'Ik vind het zo zielig voor Janine,' zei Saartje, die achter haar vriendinnen aan de trap op liep. Het glas fris in haar handen was al halfleeg.

'Ja, dat weten we nu wel,' riep Nikki, die een hekel had aan medelijden. 'Maar wat gaan we eraan doen?'

Ze liepen Valeries kamer binnen en gingen zitten. Nikki op Valeries bed en Saartje op de zitzak die naast het bureau stond. Valerie zette haar lege glas op haar bureau en pakte een papier en wat stiften.

'Wat kunnen we doen?' Ze schoof haar bureaustoel aan en tekende in het midden van het papier een computerscherm. In grote letters schreef ze: HOE KOMT JANINE AAN EEN COMPUTER?

'Roep maar!' zei ze. 'Wat kunnen we doen?'

'Geld inzamelen,' riep Saartje.

Valerie schreef het op het papier. 'Een sponsoractie?' vulde ze aan.

Nikki schudde haar hoofd. 'Nee, we moeten het in stilte doen. Janine schaamt zich dood en zo te horen vinden haar ouders het ook heel vervelend. Dan moet je niet langs de deuren gaan.'

'Oké,' zei Valerie. 'Maar wat dan? Een computer kost geld.'

'En hoe komen we aan geld?' vroeg Saartje zich hardop af.

'Lege flessen inzamelen?'

'Een tweedehandsspeelgoedbeurs,' riep Nikki, maar haar gezicht betrok. 'Nee, dat duurt allemaal veel te lang. Janine moet deze week nog een computer.'

Er viel een stilte.

'En als we nu eens niet aan geld denken, maar aan een computer,' mompelde Valerie. 'Waar vinden we een computer?'

'In de winkel,' zei Saartje.

'Een tweedehands op internet,' riep Nikki.

'Ja, duh… dat kost toch ook geld?'

De meiden dachten diep na.

'Misschien heeft iemand een computer over?' zei Valerie.

'Wie?' vroeg Saartje.

'Weet ik veel… iemand.'

'En waar woont die iemand?' Saartje keek vragend.

'Geen idee, maar ik voel gewoon dat we op de goede weg zitten.'

'Jij ook altijd met je gevoel! Daar schieten we toch niets mee op.'

'Luister,' riep Nikki. 'Valerie heeft gelijk. We moeten iemand vinden die een computer overheeft, of weg wil geven.'

'Sinterklaas,' bromde Saartje.

'Ja, maar die woont in Spanje. Dat is me iets te ver weg. Wat dachten jullie van een rijke directeur van een bedrijf?' ging Nikki verder. 'Dat soort mensen sponsoren toch vaker? Ik zie dat wel eens op televisie. Dan stappen ze zo'n bedrijf binnen, zeggen dat ze een arme mevrouw hebben die een auto nodig heeft en hup… ze krijgen een auto.'

'Ja, in ruil voor reclame,' zei Saartje. 'Ze doen dat echt niet zomaar, hoor!'

'We kunnen het toch proberen?' riep Valerie.

'Doe niet zo naïef,' zei Saartje. 'Wij zijn maar drie gewone meiden die een computer voor hun vriendin zoeken. Dat komt echt niet op televisie.'

'Dat is het!' Nikki sprong op. 'Saartje, wat een goed idee.'

'Huh?' Saartje keek verbaasd. 'Wat?'

'We plaatsen een oproep.'

'In de krant?' reageerde Saartje met een sarcastische ondertoon. 'Ja, dat is lekker anoniem en vast gratis.'

'Nee, niet in de krant,' zei Nikki. 'Op internet.' Ze keek triomfantelijk. 'We maken een filmpje en zetten dat op YouTube. Dat is gratis en gaat de hele wereld over.'

'Hoe zie je dat voor je dan?' vroeg Saartje peinzend.

'Nou gewoon… we laten zien dat we een vriendin hebben die computerloos is. In deze tijd is dat best bijzonder, toch? Er zijn vast mensen die een oude computer overhebben. We maken er een soort actie van.'

Valerie spreidde haar armen. 'Zie hier het laatste computerloze meisje op aarde. Steun haar en stel uw computer beschikbaar. Zoiets?'

De meiden giechelden. 'Bijvoorbeeld,' zei Nikki. 'We kunnen het anoniem doen. Er zijn genoeg mensen die reageren op dat soort oproepen. Laatst nog was er een jongen in India die via een oproep mensen om één euro vroeg. Hij zette zijn bankrekeningnummer erbij. Weet je hoeveel euro's hij ophaalde? Driehonderdduizend! Die gozer is nu schatrijk.'

Saartje knikte. 'Ja, dat heb ik gelezen. Hmmm, misschien is dat toch niet zo'n gek idee. Als zo veel geld zonder problemen te regelen is, dan moet één computer zeker lukken! Ik vind het best een goed plan.'

'Dank je,' zei Nikki.

Valerie aarzelde. 'Denken jullie echt dat het lukt?'

Nikki knikte. 'Het is het proberen waard. Of heb je een beter idee?'

'Nee, niet echt.'

'Oké, dan gaan we ervoor.' Nikki pakte het papier van Valerie over en draaide het om. 'Laten we bedenken hoe we het precies gaan doen en wat we allemaal nodig hebben.'

'Een camera,' zei Saartje en haar gezicht betrok gelijk. 'Dat begint al lekker. Wie heeft er zo'n ding?'

'Mijn ouders,' zei Valerie aarzelend. 'Maar…'

'Geweldig,' riep Saartje. 'We hebben dus een camera.'

Valerie schoof ongemakkelijk heen en weer. 'Nou, ik weet niet of…'

'Tuurlijk wel,' raasde Saartje verder. 'Het duurt maar heel even. Je ouders hoeven er niets van te merken.'

Valerie keek naar Nikki, die haar smekend aankeek. 'Oké, als we heel voorzichtig doen.'

'Doen we toch altijd?'

'Dank je,' zei Nikki.

Valerie aarzelde. 'Ik heb alleen geen flauw idee hoe je dan dat filmpje op YouTube zet.'

'Dat weet ik wel,' zei Saartje. 'Is het een camera met een cassette of met een dvd erin?'

'Eh, ik geloof dat er zo'n kleine dvd in gaat,' antwoordde Valerie.

'Uitstekend. Dan neem ik die mee en monteer het filmpje thuis.'

Nikki en Valerie waren blij dat Saartje een whizzkid was.

'Ik ben zo terug.' Valerie liep haar kamer uit en kwam even later terug met een grote tas. 'De batterijen zijn nog vol,' zei ze en ze haalde een kleine digitale camera uit de tas.

Saartje keek bewonderend naar het apparaat en floot tussen haar tanden. 'Zo... dat is een mooie.' Ze nam de camera over van Valerie en bekeek alle knopjes. 'Perfect!'

Valerie ging weer zitten. 'En nu?'

'Nu gaan we een filmpje maken,' zei Saartje, die nog steeds druk bezig was met het bekijken van de camera. 'Er zit ook een zoomer op. Zo kunnen we ook close-upbeelden maken.'

'Oké,' zei Nikki. 'Hoe gaan we het doen? Het moet wel grappig zijn, vind ik. Dan valt het op.'

'We kunnen Janine moeilijk echt gaan filmen,' bedacht Valerie.

'Nee, we verkleden ons en gebruiken haar foto,' riep Saartje, die de camera op Valeries bed had neergelegd. 'Heb jij die foto nog van ons in dat zwembad?'

Valerie wees naar het prikbord aan de zijkant van haar kast.

'Mooi,' zei Saartje. 'En kleren? Wat heb je in de aanbieding? Met jouw acteerervaringen heb je vast een kast vol verkleedkleren.'

Valerie liep al naar haar kledingkast en toverde een hoed van stro tevoorschijn. 'Is dit wat?'

Nikki schoot in de lach.

'Of dit?' Valerie trok een grote mand uit de kast vandaan en wierp die open.

'Gaaf!' Nikki vloog op de berg verkleedkleren af. Met een snelle blik zag ze allerlei soorten kleding. Jurken, broeken, mutsen, rokken, sjaals, hesjes... 'Wat veel! Ik wist wel dat je verkleedkleren had, maar zoveel...'

'Valerie houdt van verkleden,' zei Saartje. 'Als kleuter spaarde ze al verkleedkleren.'

'Ik hou nu eenmaal van toneelspelen,' beaamde Valerie. 'Ik sta niet voor niets ingeschreven bij een castingbureau.'

'Ja, je hebt al een paar kleine rolletjes gehad in reclames,' zei Saartje trots. 'Jammer alleen dat je die soap niet gehaald hebt. Dat was pas echt cool geweest.'

'Niet meer over hebben.' Valerie gooide de mand met kleren om. 'Zullen we beginnen?'

Enthousiast gingen ze aan de slag. Dit kon wel eens een geniaal plan zijn. Aan het eind van de middag hadden ze genoeg filmmateriaal voor een bioscoopfilm van anderhalf uur. Saartje gaf aan dat ze het kon inkorten tot een paar minuten, maar dat moest ze dan wel thuis doen op haar eigen computer. Daar had ze de juiste programma's.

Valerie gaf Saartje de dvd uit de camera en ze spraken af dat ze de volgende ochtend naar Saartje kwamen om het resultaat te bekijken en het filmpje meteen op YouTube te zetten.

'Hoe eerder hoe beter,' zei Nikki.

Tegen halfzes namen Nikki en Saartje afscheid van Valerie. Terwijl Valeries moeder net aan kwam fietsen van haar werk, zwaaiden de vriendinnen elkaar uit.

'Was het gezellig, meiden?' vroeg de moeder van Valerie.

'Ja, mevrouw,' zei Nikki, die vlak achter Saartje aan de weg op fietste. 'Tot morgenochtend, Valerie!'

'Gaan jullie morgen iets leuks doen?' vroeg Valeries moeder, die haar fiets in de schuur zette.

'We werken aan een project,' legde Valerie uit. Ze liet haar moeder passeren en sloot de voordeur achter haar. 'Voor school.'

'Was Janine er niet?'

'Eh... nee, die is dit weekend bij haar broer.' Valerie liep langs haar moeder de trap op. Ze had geen zin om uit te leggen wat ze precies hadden gedaan. In haar kamer gekomen stopte ze de camera in de tas en legde deze terug in de gangkast. Ook de mand met kleren schoof ze terug in de kast. Met de drie lege glazen in haar hand liep ze naar beneden, waar haar moeder zichzelf net wat te drinken inschonk. 'Wil je ook nog?'

Valerie schudde haar hoofd en liep naar de salontafel waar wat tijdschriften lagen. Ze pakte er eentje en plofte op de bank. Het was weekend! Twee hele lange dagen geen school... heerlijk.

Hopelijk lukte het Saartje om iets leuks te maken van al het filmmateriaal. Valerie glimlachte toen ze aan alle gekke scènes dacht die ze hadden verzonnen. Als het dan geen computer voor Janine opleverde, dan toch zeker een ereplaats in een van die home-videoprogramma's.

Valerie was onder de indruk van de complimenten van haar vriendinnen over haar acteerprestaties vanmiddag. Het bewees maar weer eens dat ze kon toneelspelen. Dat ze de rol in die soap niet had gekregen, vond ze eigenlijk niet eens zo erg meer. Een soap is natuurlijk wel leuk, maar nou niet bepaald echt acteerwerk. Na de teleurstelling van de afwijzing had ze zich snel weer opgepept. Ze kon veel beter haar school afmaken en dan naar de toneelacademie gaan. Met een goede opleiding zou ze vast mooie rollen krijgen in grotere filmproducties. Misschien dat ze dan ooit een Gouden Kalf of een Oscar won. Ze bladerde door het tijdschrift en dacht aan Janine. Zou het plannetje lukken? Zou Janine binnenkort een computer hebben?

'Nikki, wacht!' Myren ging op de pedalen van zijn fiets staan en trapte zo hard als hij kon.

Nikki keek achterom en glimlachte. Ze minderde vaart en even later fietste Myren naast haar. 'Was het gezellig?' vroeg Myren.

'Best wel.'

'Dat klinkt niet echt positief,' zei Myren. 'Wat hebben jullie gedaan?'

'O, van alles en nog wat,' zei Nikki. 'Meidendingen.'

'Zoals?'

Nikki keek opzij. 'Wat ben je opeens nieuwsgierig.'

'Ik mag toch wel vragen wat je op vrijdagmiddag doet met je vriendinnen?'

'Vragen mag altijd.'

Er viel een stilte.

'Is het geheim of zo?' vroeg Myren.

'Hoe kom je daar nou bij?'

'Je doet zo geheimzinnig.'

'Meidendingen zijn nou eenmaal geheimzinnig voor jongens.' Nikki stak haar hand uit en ze gingen rechtsaf de Hoofdstraat in. 'Hoe ging het penalty schieten?'

'Ging wel.'

Nikki lachte. 'Dat klinkt ook niet echt positief.'

'Niels was er met zijn gedachten niet bij. Hij maakt zich zorgen om Janine.'

'O?' Nikki hield op met trappen. 'Hoezo?'

'Ja, weet ik veel. Daar bemoei ik me niet mee, hoor.'

'Maar je hebt er wel last van, zo te zien,' constateerde Nikki.

'Ja! Niels is dan meteen uit vorm. Die jongen is zo gevoelig.'

'Aaah, schattig.' Nikki ontweek met een snelle spurt een geparkeerde auto.

'Helemaal niet,' riep Myren, die zich weer bij haar voegde. 'Het is vervelend. Kun jij niet eens met Janine praten?'

'Ik? Met Janine praten?' Nikki keek verbaasd. 'Waarover?'

'Gewoon, meiden vertellen elkaar toch altijd alles. Misschien kom jij erachter wat er aan de hand is.'

'En dat vertel ik dan aan jou?' zei Nikki. 'En jij vertelt het weer aan Niels?'

'Ja, zoiets.' Myren keek smekend. 'Alsjeblieft? Als Niels zo beroerd blijft spelen, winnen we dat toernooi nooit en dan is alles voor niets geweest.' Hij legde zijn hand op haar arm. 'En dan heb ik je de hele week voor niets gemist.'

Nikki glimlachte. 'Dat is waar. Wij hebben ook last van Janines probleem.'

'Aha, dus er is wel een probleem.' Myren zat meteen rechtop op zijn fiets.

Nikki schrok. 'Nou, niet echt een probleem.'

'Maar er is iets met Janine?'

Nikki aarzelde. 'Misschien. Maar wat het ook is, van de week is dat helemaal opgelost,' vervolgde ze. 'Hoop ik.'

Myren liet haar arm los. 'Dus jullie waren niet zomaar bij Valerie aan het spelen?'

'Vraag nou niet zo door,' mompelde Nikki, maar Myren hield vol.

'Ga je het nou nog vertellen of niet?'

Nikki zuchtte. 'Je maakt het groter dan het is. Janine heeft geen computer, dat is alles.'

'Ja, dat weet ik,' zei Myren. 'Niels zeurt me al weken de oren van mijn kop, omdat ik wel met jou kan chatten en hij niet met Janine. Ze schijnt ook een koelkasttelefoon te hebben.'

'Precies. Janine baalt en heeft al van alles geprobeerd, maar haar ouders hebben er gewoon geen geld voor op dit moment. En door een stomme actie zit ze elke dag na schooltijd nog op school te werken aan haar presentatie, omdat ze thuis geen computer heeft.'

'Ja, zielig voor haar!'

'Niet alleen voor haar,' zei Nikki. 'Je ziet hoe het doorwerkt. Janine ongelukkig, Niels ongelukkig, jij ongelukkig en dus ik ook.'

Myren grijnsde. 'Je leeft mee?'

'Ja, en het is ook stom. Janine kan nooit met ons chatten.'

'En nu hebben jullie een plan?'

'Ja. We hebben een filmpje gemaakt,' ging Nikki verder. 'Voor op YouTube. Een soort oproep. Saartje gaat het monteren en morgen zetten we het erop.' Ze keek Myren aan. 'Er moet toch iemand in de wereld zijn die een computer voor Janine heeft?'

53

'Stoer plan,' zei Myren. Hij pakte haar hand. 'Maar wel lief.'

'Hoezo stoer?'

'Passen jullie op? Er zijn altijd weirdo's op het net. Ik hoop dat jullie niet je naam of adres bij dat filmpje zetten.'

'Nee, natuurlijk niet. Zo stom zijn we nou ook weer niet, hoor!'

'Rustig maar.' Myren lachte. 'Ik hoop dat het lukt. Dan is Janine helemaal gelukkig. Dat maakt Niels weer blij, waardoor ik me happy voel en jij dus ook.' Ze fietsten hand in hand verder.

HOOFDSTUK 5

'Hé, zussie!' Roel keek enthousiast.

Janine stapte uit de trein en gaf haar broer een knuffel. Haar rugtas gleed van haar schouders.

'Geef maar hier,' zei Roel. 'Die draag ik wel. Goede reis gehad?'

Janine knikte. Ze was blij dat ze deze keer van haar ouders alleen mocht reizen. De afgelopen jaren had haar moeder haar altijd gebracht als ze bij Roel ging logeren, maar nu wilde Janine dat niet meer. Om haar ouders gerust te stellen had Roel beloofd haar op te pikken op het Centraal Station.

Terwijl ze de roltrappen van het perron af gingen, keek Janine haar ogen uit. Amsterdam was een geweldige stad. Zelfs in de hal van het station was het gezellig druk. Al die mensen, de winkels… Janine vond het maar wat stoer van haar broer dat hij hier woonde. Later wilde ze ook in Amsterdam gaan wonen.

Ze stapten op de tram en reden via de Voorburgwal naar het Spui. Roel woonde vlak bij de universiteit waar hij studeerde. Ze stapten uit en liepen het Singel op. Janine wist dat Amsterdam veel grachten had, maar de belangrijkste waren toch wel de Prinsengracht, de Keizersgracht, de Herengracht en het Singel. In die volgorde. Roel had haar geleerd hoe ze die volgorde kon onthouden. 'Piet Koopt Hoge Schoenen,' zei hij. 'De eerste letters van de woorden zijn ook de eerste letters van de grachtennamen.' Janine had het goed onthouden. Ze wilde zoveel mogelijk weten van Amsterdam.

Even later stapten ze de kleine woning binnen die pal aan het Singel lag. Het was niet groot, maar dat waren huizen in Amsterdam nooit, zei Roel. Janine voelde zich op haar gemak bij Roel en was blij dat ze dit hele weekend mocht blijven. Dat hij een eigen kamer had gevonden, was meer geluk dan wijsheid geweest. Via een collega van hun vader had Roel dit stekkie kunnen huren.

'Alles goed op school?' Roel zette haar rugtas onder de kleine keukentafel en opende de koelkast. 'Iets drinken?'

'Ja en ja,' zei Janine en ze ging op een van de stoelen zitten. 'Hoe is het hier?'

'Ook goed,' antwoordde Roel. 'Leuk dat je tot zondagavond blijft. Had je er zin in?'

Janine knikte. 'Ik had even geen zin in mijn eigen

kamer en papa en mama zijn zondag op visite bij tante Jannie, dus dat ontloop ik lekker. Ik heb echt even geen behoefte aan grote mensen.'

Roel zette twee glazen fris neer en ging bij haar zitten. 'O?'

De vragende blik in zijn ogen vroeg om een uitleg.

Janine zuchtte. 'Beetje ruzie met mama.'

Roel glimlachte. 'O, dus dit is een vlucht?'

'Nee, nee, zo bedoel ik het niet. Het is alweer goedgemaakt, maar...' Ze aarzelde. 'Ik verveel me gewoon thuis.'

'Logisch,' zei Roel. 'Je mist mij.'

'En Sjors,' voegde Janine eraan toe. Sjors was haar andere broer. Hij maakte op dit moment een wereldreis. Volgens de berichten zat hij nu in Australië. 'Heb je nog wat van hem gehoord?'

'Wil je het zien?' Roel stond op en liep naar zijn computer, die op een kleine tafel in de hoek van de kamer stond.

Janine liep nieuwsgierig naar haar broer toe.

'Ga zitten!' Roel schoof de bureaustoel iets naar achteren. 'Sjors zit nu in Nieuw-Zeeland. Hij verblijft op een schapenfarm. In ruil voor werk krijgt hij een bed en eten en mag hij gebruikmaken van de computer. We skypen wel een paar keer per week.'

'Skypen?'

Roel wees naar de kleine camera boven op de computer. 'Kijk, hij heeft ook zo'n camera op zijn computer.

Zo kunnen we elkaar zien en spreken. Een soort telefoon op de computer dus.'

Janine keek nieuwsgierig. 'Kan dat nu ook?'

Roel keek op zijn horloge. 'In Nieuw-Zeeland is het heel wat uurtjes later. Het is daar nu al ochtend. Zal ik eens kijken of Sjors online is?'

Terwijl Roel de computer aanzette, liep Janine naar het raam en ging op de brede vensterbank zitten. Dit was haar lievelingsplek. Vanhier kon ze de rondvaartboten zien die door de gracht kwamen varen. Schuin naar links zag ze de bloemenmarkt, waar altijd veel toeristen liepen. Je kon de stadsgeluiden horen. Het gerinkel van de trams, het getoeter van auto's, mensen die met elkaar praatten... Amsterdam was nooit stil. Janine vond het heerlijk om midden in deze stad te zijn.

'Nee, helaas. Sjors is aan het werk.' Roel kwam naar haar toe gelopen. 'Meestal is hij er pas 's avonds laat onze tijd.'

Janine trok haar benen op en sloeg haar armen eromheen. Met de kin op haar knieën keek ze naar buiten. 'Geeft niet. Ik geniet nu al.'

Roel kwam naast haar zitten. 'Ik snap dat het nu stil is thuis. Hoe gaat het met je vriendinnen?'

'Goed.'

'En Niels?'

'Ook goed.'

Roel glimlachte en streelde over haar haren. 'Je bent

vast moe. Ik ga even kijken wat we kunnen eten, goed?'

Janine zweeg en hoorde Roel weglopen. Ze had geen zin om te praten.

'Zal ik macaroni maken?' klonk het vanuit de keuken.

'Goed hoor,' zei Janine, terwijl ze een groepje Japanners observeerde die foto's maakten van de grachtenpanden. Ze glimlachte. Al die toeristen die hier rondliepen, foto's maakten en vakantie vierden... Haar broer woonde hier gewoon. Ze zwaaide naar de Japanners toen ze de camera's op zich gericht zag en er werd vrolijk teruggezwaaid.

'Ik moet even naar de supermarkt,' riep Roel. 'Wat groente kan geen kwaad. Ben zo terug.'

Janine draaide zich om. 'Mag ik op je computer?'

Roel stond met een boodschappentas bij de deur. 'Wat wil je doen?'

'Gewoon, even internetten.'

'Geen verkeerde dingen doen, goed?' Roel ritste zijn jas dicht. 'Ik heb mama beloofd goed op je te passen.'

'Maak je geen zorgen.' Terwijl Roel de trap af liep, schoof Janine achter de computer. 'Tot zo.'

Janine opende MSN en tikte haar gebruikersnaam en wachtwoord in. Misschien waren haar vriendinnen online. Teleurgesteld keek ze naar haar scherm. Lekker dan! Net nou zij achter de computer zat, waren Valerie, Saartje en Nikki er niet. Even overwoog ze om een van hen te bellen, maar dat zou zonde zijn van haar toch al weinige beltegoed.

Janine keek naar de namen die wel online waren en drukte het programma weg. Hier had ze geen zin in. Besluiteloos keek ze op haar horloge. Roel zou nog wel even wegblijven. De supermarkt was een paar straten verderop.

Janine opende internet en zocht het chatprogramma op dat ze van de week bij Nikki had ontdekt. Ze meldde zich aan en logde in. Nieuwsgierig keek ze naar alle namen op het scherm. Haar ogen gleden naar beneden en ze klikte op de volgende pagina. Wie moest ze kiezen?

Heel even overwoog ze om het scherm dicht te klikken. Ze wist niet zeker of Roel het goed zou vinden en ze wilde het wel gezellig houden dit weekend. Misschien was het beter om het straks even te vragen aan Roel. Haar hand schoof de muis al naar het kruisje rechtsboven in de hoek. Op dat moment sprong er een banner in beeld. Een meisje had zich zojuist nieuw aangemeld en zocht contact. 'BFF' noemde ze zichzelf. Nieuwsgierig bekeek Janine de gegevens van het meisje. Ze was net zo oud als zij en ze wilde graag chatten met iemand uit Amsterdam. Voordat Janine het wist, had ze op de knop aanmelden gedrukt. Dit kon vast geen kwaad.

Behendig vulde ze de gevraagde gegevens en haar nickname, Yes9, in en even later was ze druk in gesprek met het meisje dat zich BFF noemde. De tijd vloog om. Janine kletste over van alles en nog wat met het meisje. Over school, vriendjes, stomme leraren... Het was reuzegezellig.

Toen ze de voordeur hoorde, typte ze nog snel dat ze moes, eten. BFF vroeg wanneer ze weer online kwam, maar Janine moest haar het antwoord schuldig blijven. Vlug klikte ze het programma weg en liep naar de bank, waar ze net op tijd ging zitten.

'Zo, daar ben ik weer.' Roel hield zijn tas omhoog. 'Ik heb ook stroopwafels meegenomen. Voor vanavond bij de thee.'

'Lekker!'

'En? Had je nog even gecomputerd?' Roel liep door naar de keuken en Janine hoorde geritsel.

'Ja, heel even maar.' Ze probeerde zo ontspannen mogelijk te klinken. Haar hersenen werkten op volle toeren. Moest ze Roel vertellen wat ze had gedaan? De site was veilig. Hij kon er toch niets op tegen hebben dat ze even had zitten chatten? Of kon ze beter haar mond houden en het stiekem doen?

'Je mag wel even op MSN,' riep Roel. 'Misschien zijn je vriendinnen online.'

'Heb ik al geprobeerd,' antwoordde Janine. 'Ze zijn er niet.'

'Jammer.'

'Ja.' Ze pakte de afstandbediening en zette de televisie aan.

'Ik ga koken, goed?' Roel stak zijn hoofd om de hoek van de kamer. 'Vermaak je je een beetje?'

'Ja hoor!' Janine ging languit op de bank liggen. 'Ik laat me verwennen dit weekend.'

'Morgen ben jij aan de beurt,' zei Roel lachend. 'Ga maar vast bedenken wat we dan eten.'

Terwijl Roel een pan op het fornuis zette, zapte Janine naar verschillende muziekzenders. Er was niet veel aan. Af en toe keek ze naar de computer. Zou ze het durven? Roel was druk bezig met zijn macaroni. De computer stond uit het zicht van de keuken. Zelfs als Roel zijn hoofd om de hoek van de kamer stak, zou hij niet meteen kunnen zien wat ze aan het doen was. Janine besloot de gok te wagen. Ze liet de televisie aan staan en liep naar de computer. Op de achtergrond hoorde ze Roel fluiten. Enkele seconden later was ze weer online. BFF was er niet meer, maar er waren genoeg anderen die met haar wilden chatten. Ze koos dit keer voor een jongen. Hij noemde zich BOY en was veertien jaar. Nieuwsgierig stuurde ze hem haar eerste berichtje.

Yes9: Hoi, zin om te kletsen?

BOY: Met leuke meisjes altijd!

Janine glimlachte. Hij had er zin in. Ze typte haar antwoord en vertelde dat hij helemaal niet kon weten of ze leuk was. Even later vroeg hij of ze een foto wilde sturen. Een dikke grijns verscheen op haar gezicht. Natuurlijk deed ze dat niet.

Yes9: Jij eerst.

Het duurde even, maar toen verscheen er een gezicht op haar scherm. Een blonde jongen in een stoere zwembroek op het strand.

BOY: En? Leuk genoeg?

Janine antwoordde dat hij er prima uitzag, maar dat ze toch echt haar foto niet zou sturen. Daarvoor kende ze hem nog niet goed genoeg. De jongen was heel geïnteresseerd in haar en Janine chatte er lekker op los. Ze praatten over school en over muziek. Boy was een enorme fan van hardrock. Alhoewel Janine daar niet zo van hield, vond ze het wel gaaf dat hij daar zoveel van af wist. Ze vertelde dat zij meer van ballads hield én van lezen. Het leuke was dat lezen ook Boys favoriete hobby was. Het voelde zo vertrouwd. Steeds als zij iets vertelde over zichzelf, gaf Boy toe dat hij dat ook zo voelde. Het was ongelooflijk hoe ze op elkaar leken.
Janine bekende dat ze bij haar broer logeerde in Amsterdam, maar eigenlijk ergens anders woonde. Toen ze de naam van haar eigen woonplaats noemde,

kreeg ze een enthousiaste reactie van Boy dat hij daar ook in de buurt woonde. De jongen vroeg haar adres, maar dat durfde ze hem toch niet te geven.

BOY: Geeft niets. Slim van je dat je voorzichtig bent. Ben ik ook.

Janine voelde dat het goed zat. Juist iemand die kwade bedoelingen had, zou dit niet zo zeggen.
'We kunnen zo eten.' De stem van Roel deed haar opschrikken. Snel typte ze een bericht.

Yes9: Ik moet stoppen.

BOY: Spreek ik je weer?

Yes9: Misschien.

BOY: Zet me bij je favorieten. Jij zit al in mijn box.

Yes9: Doe ik. Doei.

Nadat ze zijn gegevens had opgeslagen, sloot Janine het programma af. Net op tijd. Roel kwam de kamer in en vroeg haar om aan tafel te gaan.
'Toch nog even geprobeerd?' vroeg hij.
Janine knikte. 'Ja.'

'En? Waren ze er nu wel?'

'Wie?'

'Je vriendinnen.'

'O… eh… ja.' Janine ontweek de blik van haar broer en liep naar de keuken. 'Het ruikt lekker, zeg,' zei ze. 'Ik heb honger.'

'Er is genoeg.'

Janine liep naar de pan die op het fornuis stond. 'Wat zit er allemaal voor gezonds in?'

Roel lachte. 'Heel veel vitamientjes. Vertel dat maar aan mama. Ze heeft toch al niet zo'n hoge pet op van mijn kookkunsten.' Hij gaf haar een knipoog. 'Nu jij er bent, kook ik supergezond.'

'Ja, ja,' zei Janine lachend. 'Laat maar zien.'

HOOFDSTUK 6

'Het is gelukt.' Saartje keek haar vriendinnen tevreden aan. 'Willen jullie het zien?'
Valerie en Nikki waren vroeg naar Saartje toe gekomen. Normaal gesproken lag Valerie rond deze tijd nog in bed en Nikki was meestal op zaterdag vroeg op om zich voor te bereiden op de wedstrijd. Maar deze zaterdag was anders dan anders.
Valerie was rond zes uur vanochtend klaarwakker geweest. Het liefst was ze direct naar Saartjes huis gefietst. Nikki moest om kwart over elf bij haar team aanwezig zijn. De wedstrijd was om twaalf uur. Het kwam allemaal heel mooi uit vandaag.
Saartje zette het filmpje aan en zwijgend keken de drie meiden naar hun oproep. Zo af en toe verscheen er een glimlach op hun gezichten.
'Je ziet echt niet dat ik het ben,' riep Nikki tevreden toen ze de grote hoed op het scherm zag. Haar ge-

zicht was niet te zien, maar haar woorden schalden door de kamer. 'Help onze vriendin! Geef haar die computer. Laat het ons weten als jij de persoon bent die haar redder in nood wilt zijn. Red het laatste computerloze meisje ter wereld!'

Er verscheen een foto van Janine in beeld met een e-mailadres: helpjanine@hotmail.com.

'Dat heb ik aangemaakt,' zei Saartje terwijl ze naar het e-mailadres wees. 'Speciaal voor deze gelegenheid.'

'Te gek!' Nikki straalde. 'Als dit niet werkt...'

'Val?' Saartje keek vragend.

'Eh... mooi gedaan,' mompelde Valerie, maar haar ogen keken bedenkelijk.

'Maar?'

'Ik weet het niet. Moeten we die foto van Janine er wel bij zetten? Ze weet van niets.'

'Tuurlijk wel,' riep Saartje. 'Dat maakt het juist echt.'

'Ja,' zei Nikki. 'Janine heeft een lief gezicht.'

'Een computerloos gezicht.' Saartje grijnsde. 'Dat werkt op het gevoel van mensen.'

Valerie glimlachte. 'Denk je?'

'We moeten de mensen duidelijk maken dat het geen grap is. Zonder die foto is het net of wij een geintje uithalen en we gewoon wat computers willen aftroggelen.'

Nikki was het daarmee eens. 'Ja, juist door die foto te laten zien, maken we het echt.'

'Oké, als jullie denken dat het beter is.' Valerie keek naar Saartje. 'En nu?'

'Nu gaan we het filmpje op YouTube zetten.'

'En we sturen het naar iedereen die we kennen,' zei Nikki.

'Moeten we dat wel doen?' vroeg Valerie. 'Stel je voor dat Janine erachter komt.'

'Tegen die tijd hebben we allang een computer voor haar geregeld,' zei Saartje. 'Wedden?'

Ze ging recht achter haar toetsenbord zitten en concentreerde zich op het scherm. Terwijl Saartje het filmpje uploadde, keken Valerie en Nikki belangstellend toe.

'Zal ik het op mijn Facebook zetten?' vroeg Saartje.

'Doe ik het ook,' besloot Nikki.

'En wat nou als Janine zit te kijken?' reageerde Valerie.

'Janine?' Saartje schoot in de lach. 'Janine zit bij haar broer, hoor!'

'Nou en? Die heeft een computer.'

Nikki stelde Valerie gerust. 'Wedden dat Janine niet eens achter de computer zit dit weekend? Ze gaat lekker de stad in met Roel.'

'Ja, of naar Artis,' vulde Saartje aan. 'Aapjes kijken.'

'Jullie doen net of Janine een kleuter is,' zei Valerie.

Saartje haalde haar schouders op. 'Zo bedoelen we het niet. Maar ze gaat echt niet computeren bij haar broer.'

'En wat dan nog,' riep Nikki. 'Als ze het ziet, kan ze alleen maar hopen dat het lukt.'

Valerie twijfelde. 'Ik weet het niet. Het voelt gewoon niet goed.'

'Jij voelt te veel,' zei Saartje lachend en ze drukte op een toets. 'Ziezo, nu jij, Nikki.'

Terwijl Nikki het filmpje op haar pagina zette, keek Saartje tevreden toe. 'Als iedereen het nu doorstuurt naar zijn vrienden, bereiken we binnen de kortste keren duizenden mensen.'

'Zeg maar gerust miljoenen,' zei Nikki, die klaar was. 'YouTube gaat over de hele wereld.'

Valerie aarzelde. 'Hadden we het niet in het Engels moeten doen dan?'

'Welnee,' zei Saartje. 'Dat is onhandig. Hoe komt een computer uit Thailand of Brazilië dan hier? Nee, het is beter als iemand uit ons eigen land de oproep ziet en begrijpt. Ik upload het filmpje ook nog even op mijn Hyves.' Ze wees naar de stapel tijdschriften naast haar bed. 'Als jullie ondertussen iets willen lezen: ik heb een stapel modebladen van Raquel gehad.'

Nikki en Valerie doken op de tijdschriften van Saartjes oudere zus, terwijl Saartje zelf de laatste dingen op de computer deed.

'Hoe komt je zus aan al die glossy's?' vroeg Valerie.

'Van school.' Saartje kwam bij haar vriendinnen zitten. 'Ze moet collages maken en een ontwerp inleveren. Dit inspireert, zeggen ze.'

'Hé, ik mis een stuk.' Valerie hield een tijdschrift omhoog waaruit een pagina was gescheurd.

'Ja, hè hè! Dat zeg ik net,' verzuchtte Saartje. 'Er is wel mee gewerkt. Raquel is echt goed. Ze heeft een te gekke jurk ontworpen.' Met haar handen liet ze zien hoe de jurk eruitzag. 'Hier strak en dan hier met versiersels en dan uitlopend tot net boven de knie. Echt, ze heeft onwijs veel talent. Ze moet die jurk nu ook echt gaan maken.'

'Lijkt me een leuke school,' zei Valerie. 'Misschien ga ik daar later ook wel heen.'

Saartje keek verbaasd. 'Jij wilde toch naar de toneel-academie?'

'Ja, ook!' Valerie glimlachte. 'Ik doe ze gewoon allebei.'

'Moet kunnen,' Nikki grijnsde. 'Ik word later ook profvoetballer én brandweervrouw.'

Saartje ging languit op haar bed liggen en staarde naar het plafond. 'Jullie weten al precies wat je wilt worden. Ik heb nog geen flauw idee.'

'Zal wel iets met computers worden, denk ik zo,' zei Nikki.

'Misschien, maar ik vind mode ook heel leuk.' Ze dacht na. 'Eigenlijk zijn er zo veel dingen die ik leuk vind. Hoe kun je nu kiezen?'

'Zoiets weet je op een gegeven moment gewoon,' zei Nikki.

'Ja,' zei Valerie. 'Ik wist al op mijn vierde dat ik later actrice wilde worden.'

'Mijn vader was brandweerman,' zei Nikki zacht. 'Ik weet niet beter dan dat ik dat altijd al wilde worden.'

'Maar je vader is...' Saartje zweeg en keek naar Nikki. 'Sorry.'

'Geeft niet,' reageerde Nikki. 'Mijn vader is doodgegaan juist omdat hij brandweerman was. Dat wilde je toch zeggen?'

Saartje knikte. Er viel een stilte.

'Misschien wil ik het juist daarom wel,' zei Nikki zacht. 'Mijn vader was heel trots op zijn werk. Hij vertelde altijd verhalen over wat hij had meegemaakt. Als klein kind vond ik dat prachtig.' Ze glimlachte. 'Ik weet niet eens meer precies wat hij vertelde. Het was meer de manier waarop hij het vertelde. Zo spannend, zo echt, alsof je er middenin zat.' Ze staarde voor zich uit. 'Ik mis die verhalen.'

Valerie schudde haar hoofd. 'Het lijkt mij geen leuk beroep. Steeds die angst of je de dag wel overleeft.'

'Zo is het niet,' zei Nikki iets te fel. 'De dood van mijn vader was een ongeluk waar niemand wat aan kon doen. Een stom toeval.' Ze keek naar Valerie. 'Zoiets gebeurt nooit een tweede keer. Het beroep van brandweerman is op zich heel veilig.'

'Nou, en toch ben ik liever actrice,' zei Valerie.

'Die vallen ook wel eens van het podium.' Nikki

draaide zich om naar Saartje. 'En echte computer-freaks gaan dood van het ongezonde stilzitten. Wist je dat?'

'Doe niet zo…' Saartje kon haar zin niet afmaken. Er klonk een piepje. Saartje ging rechtop zitten en keek naar het scherm. 'Een berichtje,' zei ze. Met een sprong stond ze bij haar bureau en klikte het scherm aan.

'En?' Nikki kwam nieuwsgierig bij haar staan en ook Valerie schoof haar stoel dichterbij.

'Voor Janine.' Saartje lachte. 'Dat is snel.'

Ze opende het bericht en de tekst verscheen op het scherm:

Die Janine is een trut. Kan ze niet werken of zo?

Verbouwereerd keken de drie meiden elkaar aan. Dit was niet echt een positief begin. Saartje klikte het bericht dicht, maar tegelijkertijd klonk er weer een piepje. Automatisch sprong de tekst in beeld.

Opzouten met die egobitch.

Voordat Saartje iets kon doen, volgden nog drie berichten. Ook die waren niet bepaald vriendelijk te noemen.

'Wat is dit?' Saartjes stem klonk boos. Ze drukte het

scherm uit, maar de geluiden van binnenkomende berichten bleven hoorbaar. 'Wat moet ik doen?'

Nikki deed het scherm weer aan. 'Gewoon blijven lezen. Het is logisch dat er ook mafketels reageren. Wedden dat er ook leuke berichten komen?'

Ze staarden naar het scherm en lazen in stilte de verschillende teksten die binnenkwamen. Ze waren allemaal negatief. De één iets meer dan de ander, maar het kwam erop neer dat ze Janine maar een loser vonden.

'Zo is het helemaal niet bedoeld.' Saartje draaide zich om naar haar vriendinnen. 'Wat is dit?'

Valerie boog haar hoofd. 'Ik zei het toch. Het voelde al niet goed.'

'Ja, daar hebben we nu wat aan,' mompelde Nikki. Ze keek naar het scherm waar de berichten nog steeds binnenstroomden. Saartje klikte ze één voor één aan.

Janine kan de pot op.

Lekkere vriendinnen zijn jullie. Weet Janine hier wel van?

Doekoe… voor zo'n koe? Mooi niet!

Wil ik ook wel. Lekker easy.

73

Saartje sloot haar mailprogramma af. 'Even niet meer,' mompelde ze. Verslagen zaten de drie vriendinnen voor zich uit te staren. Dit hadden ze niet verwacht.

'Ze zijn allemaal stom,' mompelde Saartje. 'Wat hebben we verkeerd gedaan?'

'Geen idee,' zei Nikki. 'Het was toch juist leuk?'

'Bedelen is nooit leuk,' zei Valerie.

'Hoezo bedelen?'

'We vragen een computer,' legde Valerie uit. 'Gratis en voor niets.'

'Ja?'

'Iedereen wil wel een gratis computer. Dus vinden ze het niet eerlijk.'

'Snappen ze dan niet dat we het voor onze vriendin doen?'

Valerie keek hen aan. 'Jawel, maar daarom is het nog steeds bedelen.'

Het was even stil in de kamer.

'Ik haal het eraf,' besloot Saartje toen. 'Dat filmpje moet eraf. Mee eens?'

Valerie knikte. 'Ik denk dat dat beter is.'

'Geven we nu al op?' zei Nikki teleurgesteld.

Saartje zuchtte. 'Oké, we kijken nog één keer. Als er geen positieve mails bij zitten, dan stoppen we ermee, goed?'

Nikki knikte. 'Laat maar zien.'

Saartje opende haar mailbox en de lange rij binnengekomen berichten voorspelde niet veel goeds. Na tien minuten waren ze het er alle drie over eens. Dit had geen zin. Bijna iedereen was boos of reageerde stom. Een enkeling schreef dat hij het een goede actie vond, maar dat hij echt geen computer overhad voor een scholier. Janine moest maar gewoon gaan werken of de schoolcomputer gebruiken.

Teleurgesteld trok Saartje het toetsenbord naar haar toe om het filmpje van YouTube af te halen en de oproep op Hyves en Facebook te verwijderen. Valerie en Nikki zaten zwijgend op Saartjes bed totdat ze ook op hun pagina's de oproep konden verwijderen.

Na een kwartier was alles weer weg en sloot Saartje haar computer af. 'Balen!'

Nikki keek op haar horloge. 'Ik moet gaan.' Ze stond op en zei haar vriendinnen gedag. 'We bedenken nog wel iets anders,' zei ze, maar haar stem klonk onzeker. 'Doei!'

Terwijl Nikki de trap af liep, haar jas pakte en de deur uit liep, bleven Saartje en Valerie verslagen achter.

'Wat nu?' vroeg Valerie.

'Geen idee,' antwoordde Saartje.

'Alles is voor niets geweest.'

'Ja.'

'Gelukkig hadden we snel door dat het fout ging,' zei Valerie. 'Stel je voor dat we pas later de berichten hadden gelezen.'

'Die berichten gaan nog wel even door, denk ik.'

'Hoezo?'

Saartje zuchtte. 'Met een beetje pech is dat filmpje de hele wereld al over.'

'Wat?'

'Ja, zo gaat dat. Het kan best dat mensen het filmpje al hebben gedownload en weer doorsturen naar hun eigen vrienden.'

'Dat meen je niet?' Valerie keek geschrokken.

Saartje keek op. 'Wat dacht jij dan?'

De twee meiden staarden elkaar aan.

'Arme Janine,' mompelde Valerie toen.

'Arme ik,' zei Saartje. 'Ik krijg al die mails binnen.'

'Sluit dat e-mailadres dan af,' stelde Valerie voor.

Saartje zuchtte. 'Maar dan is alles voor niets geweest.'

'Wat een gedoe,' verzuchtte Valerie. 'En het ergste is, Janine weet nergens van.' Ze keek naar Saartje. 'Moeten we het haar niet vertellen?'

'Wat?' Saartje schrok. 'Dat we een filmpje hebben gemaakt voor haar? Met haar foto? Waar alle mensen zo pissig over zijn? Mooi niet!'

'Maar…'

'Niks te maren,' zei Saartje. 'Als Janine dit hoort, wil ze alles weten. Je kent haar.' Saartjes stem werd zachter. 'Wat denk je dat er gebeurt als ze al die onzin leest? Wat schiet ze daarmee op?'

Valerie boog haar hoofd. 'Je hebt gelijk. We kunnen beter niets zeggen en hopen dat niemand het er meer over heeft. Zo lang zal zo'n filmpje toch niet rond blijven cirkelen?'

'Nee,' zei Saartje, maar het kwam er niet echt overtuigend uit.

HOOFDSTUK 7

Janine had het naar haar zin bij Roel. Ze genoot van het stadsleven. Samen met Roel slenterde ze door de kleine straatjes, ze liepen langs de grachten en bezochten de leukste winkeltjes. Roel deed vreselijk zijn best om het haar naar de zin te maken. Ze aten een patatje in de Kalverstraat en gingen op zaterdagmiddag met de rondvaartboot door de grachten van Amsterdam. Janine voelde zich een toerist en inwoner tegelijk.

In de avonduren trok Roel zich terug om te studeren. Hij moest die week zijn scriptie inleveren en kon geen avond missen. Janine mocht dan televisiekijken of op de computer. Natuurlijk vond ze dat geweldig. Het chatprogramma was haar favoriet. Boy, de jongen met wie ze vrijdagmiddag had kennisgemaakt, was vaak online. Janine vond hem steeds leuker worden. Ze had Roel niets verteld over haar bezoekjes aan het chatprogramma. Haar ouders hadden vast afspraken gemaakt met Roel over haar logeerweekend en ze wilde het risico niet lopen dat hij het zou verbieden.

Janine genoot van alle aandacht die ze kreeg van haar nieuwe chatvrienden. Ook met Sjors had ze contact gehad. Ze had het zo druk met haar nieuwe bezigheid dat ze compleet vergat om contact te zoeken met haar eigen vriendinnen via MSN.

Af en toe kreeg ze een lief sms'je van Niels. Ze sms'te twee keer terug. Niels wist dat ze niet zo veel beltegoed had. Ze liet hem weten dat ze het heel gezellig had en dat ze hem ook miste.

De tijd vloog om en voor ze het wist was het zondagmiddag. Samen met Roel was ze die zondag naar Artis geweest, ze hadden een pizza gegeten op het Leidseplein en ze kwamen moe maar voldaan bij Roels huis aan.

'Ik zet je om zeven uur op de trein,' zei Roel.

Janine keek teleurgesteld. 'Jammer dat het alweer voorbij is,' zei ze. 'Ik had nog wel langer willen blijven.'

Roel lachte. 'Dat snap ik. Alles beter dan school.' Hij schonk wat te drinken in voor hen beiden. 'Ik moet vanavond nog naar een studiegenootje, dus ik ga nog even snel douchen en trek wat anders aan. Pak jij je spullen vast in. Ben zo terug!' Hij verdween in de badkamer.

Janine nam een slok en staarde voor zich uit. Roel was anders nooit zo in voor douchen en verkleden. Zou hij met dat studiegenootje een meisje bedoelen? Was hij verliefd? In de verte hoorde ze het water in de douchebak kletteren en even later galmde Roels stem door het hele huis. Het klonk lekker vrolijk. Janine glimlachte. Ze wist dat Roel voorlopig nog niet terug was. Vliegensvlug zette ze de computer aan. Dit zou voorlopig haar laatste chat worden. Hopelijk was Boy online. Behendig opende ze het programma en logde in.

'Yes!' mompelde ze toen ze Boys naam zag.

Yes9: Laatste keer. Moet naar huis.

BOY: Hoezo? Thuis kun je toch ook inloggen?

Yes9: Nee, heb geen computer.

BOY: Dat meen je niet!

Yes9: Ben aan het sparen. Heb jij er toevallig eentje over?

BOY: Hahaha… nee, was het maar waar.

Yes9: Sorry, dit is een afscheid.

BOY: Ik vind je leuk.

Janine slikte. Boy vond haar leuk. Ze wist niet goed wat ze daarvan moest denken. Vond hij haar gewoon leuk… of leuk leuk? Was hij verliefd op haar? Maar dat kon toch helemaal niet? Hoe kon je nou verliefd worden op iemand die je nog nooit had gezien?

Yes9: Tnx, ik vond het ook gezellig.

BOY: Kunnen we niet iets afspreken?

Yes9: Ik weet het niet. Lijkt me niet.

BOY: Waarom niet? Ik bijt niet. Het lijkt me gewoon leuk om je een keer in het echt te zien. We weten toch al heel veel van elkaar?

Yes9: Ik heb al een vriend.

BOY: Geeft toch niet? Vrienden kun je nooit genoeg hebben. Ik beloof je dat ik geen engerd ben. Woensdagmiddag twee uur bij de ijssalon in de Stationsstraat. Ken je die?

Yes9: Ja, maar ik kan je niets beloven. Ik moet stoppen. Mijn broer komt eraan.

BOY: Tot woensdag. Ik wacht op je. Laat me niet voor niets komen. xxx

Janine sloot af en net voordat Roel de gang in stapte, ging het scherm op zwart. Wat zenuwachtig liep ze naar de bank en ging zitten.

'Daar ben ik weer,' riep Roel. 'Heb je je tas al ingepakt?'

Janine schrok. 'Eh… nee!' Ze vloog op en liep naar de slaapkamer, waar haar kleren nog her en der verspreid lagen door de kamer. 'Geef me twee minuutjes.'

Terwijl ze haar spullen bij elkaar zocht, dacht ze aan het voorstel van Boy. Ze realiseerde zich dat ze niet eens zijn echte naam wist. Wat wist ze nou eigenlijk van hem? Dat ze dezelfde hobby's hadden en dezelfde smaak was toch geen garantie voor een vriendschap? Ze moest toegeven dat ze Boy een leuke jongen vond. Met zijn grappige opmerkingen en gezellige geklets had hij haar compleet veroverd. Chatten met Boy was echt supergaaf geweest. Het liefst zat ze de hele dag online met hem. Janine dacht aan Niels. Boy was zo anders dan Niels. Zo… Janine duwde haar pyjama in haar rugtas. Dit sloeg nergens op. Was ze nu Niels met Boy aan het vergelijken? Geïrriteerd propte ze haar spijkerbroek in de tas. Niels was haar vriendje. Boy was helemaal niets. Gewoon een jongen met wie ze chatte. Boy bestond alleen in de computer, niet in haar echte leven. Ze was niet van plan om woensdag naar de ijssalon te gaan. Hij kon de pot op. Ze had Niels... en dat was genoeg.

Janine ritste de rugtas dicht en liep naar de huiskamer. 'Klaar!'

'Mooi zo.' Roel pakte de tas aan. 'Zit alles erin?'

Janine knikte en probeerde wanhopig haar gedachten aan Boy te stoppen.

'Zeg maar dag tegen de computer.' Roel grijnsde. 'Thuis zul je het weer zonder moeten doen, zusje.'

Janine zuchtte. 'Ja, balen.' Ze keek haar broer smekend aan. 'Kun jij niet een goed woordje voor mij doen?'

Roel schudde zijn hoofd. 'Ik heb het al geprobeerd, maar ze hebben nu echt even geen geld voor de extra kosten.' Hij wachtte even. 'En ik ook niet.'

'Weet ik,' zei Janine. 'Maar in ieder geval bedankt. Het was reuzegezellig.' Ze keek naar de computer. 'Volgend weekend weer?'

Roel lachte. 'De komende weken ben ik druk met mijn studie. Misschien in de vakantie straks?'

Janine knikte, maar diep vanbinnen baalde ze enorm. Om haar teleurstelling niet te laten merken, draaide ze zich om en pakte haar jas. 'Zullen we?'

Even later liepen ze over het Spui naar de tramhalte. 'Zullen we gaan lopen?' stelde Roel voor. 'De trein gaat over een halfuur. Tijd zat.'

Ze liepen langs de boekwinkel in de richting van het

station. Een tram kwam aangereden en passeerde hen rinkelend.

'Ik zal die geluiden missen,' zei Janine. 'Het is bij ons zo stil.'

'Ik wil wel een cd'tje voor je maken met stadsgeluiden.'

Janine lachte. 'Nou, dat hoeft niet, hoor. Ik kom hier gewoon wat vaker.'

Ze staken de weg over en liepen langs het paleis, over de Dam in de richting van de Bijenkorf. Op het grote plein stonden verschillende artiesten die hun kunsten vertoonden. Heel even bleven ze staan bij een jongen die met vuurfakkels jongleerde. Hij kreeg veel applaus.

'Ik heb een idee,' zei Janine toen ze verder liepen. Ze keek naar de vrouw die verkleed als een prinses op een sokkel stond. Voor haar lag een doosje waar mensen geld in konden gooien. Elke keer als er een muntje in het doosje viel, bewoog de vrouw en gaf ze de gever een kushand.

'Ik ga hier een weekje verkleed staan. Voordat je het weet, kan ik een computer kopen.'

'Goed idee,' zei Roel. 'Ik denk alleen niet dat dat mag.'

'Waarom niet? Zij doen het toch ook.'

'Zij hebben een vergunning.'

'O…' Janine zuchtte. 'Oké, dan verzin ik wel iets anders.'

Roel sloeg een arm om haar heen. 'Jouw tijd komt nog wel. Een beetje geduld, dame.'

Ze liepen langs het beursgebouw naar het Stationsplein waar het een drukte van belang was. Trams en bussen reden af en aan, en Roel en Janine liepen tussen alle toeristen door naar de ingang van het station.

'Ik breng je tot aan de roltrap van het spoor,' zei Roel en hij keek op het scherm dat in de hal hing. 'Spoor 10A.'

Ze liepen de tunnel in en Janine pakte Roels hand. Bij de roltrap van spoor 10A gaf Janine haar broer een kus. 'Ik vond het heel leuk, Roel. Dank je.'

Roel gaf haar een knuffel. 'Doe je voorzichtig?'

'Tuurlijk, altijd!' antwoordde Janine.

'Dag zus.'

'Dag broertje.'

'Bel je als je thuis bent?'

'Doe ik!'

De controleur bij de roltrap bekeek haar kaartje en knikte instemmend. Janine zwaaide nog één keer en ging toen naar boven. Het was druk op het perron. De trein reed het station binnen en mensen stapten uit. Janine wachtte tot ze kon instappen en glipte meteen naar boven. Gelukkig vond ze een plaatsje bij het raam en ze ging zitten. Na een paar minuten klonk er een fluit.

Janine leunde tegen het raam. Langzaam gleden de

huizen aan haar voorbij en even later reden ze station Sloterdijk binnen. Janine wist dat ze nog ruim een halfuur in de trein moest zitten en sloot haar ogen. Al direct zag ze het gezicht van Boy voor zich. Zijn blonde krullende haren en lachende mond deden haar glimlachen. Het was wel een leuke jongen. Zou hij in het echt ook zo aardig zijn?

Weer schoot het door haar heen dat ze de afspraak van woensdag moest vergeten. Het was niet verstandig om te gaan. Stel je voor dat hij superleuk was? Ze moest nu al steeds aan hem denken. Ze kon het niet maken tegenover Niels om met een andere jongen af te spreken, toch? Dat was niet eerlijk. Zij was altijd degene die niet tegen oneerlijkheid kon. Dat wist Niels. Daarom vond hij haar ook leuk. 'Jij bent te vertrouwen,' zei hij altijd.

Ze schaamde zich een beetje dat ze zich nu zo druk maakte om een afspraakje met een andere jongen. Het stelde toch niets voor? Boy wilde alleen maar vrienden zijn. Dat had hij zelf gezegd. Vrienden kon toch wel?

Janine voelde haar buik draaien. Tjonge, wat was dit moeilijk. En juist het feit dat ze zich zo druk maakte, voelde niet goed. Als ze heel eerlijk was, was ze een beetje verliefd op Boy. Zijn grappige opmerkingen, zijn mooie ogen, zijn aandacht en al die dingen die ze gemeen hadden... het maakte haar onzeker. Hoe kon je nou verliefd zijn op twee jongens tegelijk?

Ze ging rechtop zitten en opende haar ogen. Dit was gek. Ze moest hiermee ophouden. Ze was verliefd op Niels. Niels kende ze, Boy niet. Het was allemaal fake. Ze moest Boy uit haar hoofd zetten. De afspraak van woensdag kon echt niet doorgaan. Ze moest hem vergeten. En dat was niet moeilijk, omdat ze thuis geen computer had. Al zou ze het willen... ze kon Boy niet eens meer spreken. Ze wist zeker dat ze hem na een tijdje vergeten zou zijn.

Na een halfuur stapte ze uit de trein en werd ze begroet door haar ouders.

'Hé, meisje van me.' Haar vader omhelsde haar. 'Was het gezellig bij Roel?'

Janine knikte. 'Super.' Ze gaf haar moeder een kus en samen liepen ze naar de auto.

'Vertel eens,' zei haar moeder toen ze de parkeerplaats af reden. 'Wat hebben jullie allemaal gedaan?'

Janine vertelde netjes op volgorde wat ze had beleefd en besloot met haar bezoek aan de dierentuin. Dat ze het hele weekend regelmatig achter Roels computer had gezeten, liet ze gemakshalve maar weg.

'Ik ben blij dat je genoten hebt,' zei haar moeder. 'Je bent in ieder geval een stuk vrolijker dan vorige week.'

Janine glimlachte. Haar moeder moest eens weten.

Toen ze thuis waren, pakte Janine de telefoon en belde naar Roel. Ze had hem beloofd te bellen.

'Hé, zusje,' klonk zijn stem. 'Veilig thuis?'

'Ja, ik ben er.'

'Mooi! Zeg, Janine…'

Er viel een stilte.

'Ik zie dat je hebt gechat op mijn computer.'

Janine verschoot van kleur.

'Janine?'

'Ja, ik hoor je wel.'

'Doe je voorzichtig?' Roels stem klonk bezorgd.

'Tuurlijk.' Janine keek achterom. Haar ouders liepen heen en weer in de kamer en waren druk bezig met het maken van koffie en thee. Zo te merken, luisterden ze niet echt naar haar.

'Ik wil niet dat je…'

'Het is al goed, zeg ik toch,' viel Janine hem in de rede. 'Maak je geen zorgen, ik ben geen klein kind meer, hoor!'

'Oké, oké, het is al goed.'

Het bleef even stil aan de andere kant van de lijn.

'Dag, Janine,' klonk het toen.

'Dag!' Janine drukte de verbinding weg.

'Was dat Roel?' vroeg haar moeder, die zojuist met een pot thee naar de salontafel liep.

Janine knikte. 'Jullie moeten de groeten hebben.'

Haar vader glimlachte. 'Speelt hij de grote broer?'

'Hoezo?' Janine ging naast haar vader zitten.

'Ik hoorde je zeggen dat je geen klein kind meer bent.'

'O…' Janine schrok even. 'Ja, zo is Roel. Altijd bang

dat zijn kleine zusje domme dingen doet.' Ze boog voorover en pakte een koekje uit de trommel.

'En dat is onterecht?'

Janine voelde de ogen van haar vader in haar rug prikken. 'Ja.' Ze haalde diep adem en ging weer rechtop zitten. 'Ja, dat is onterecht. Ik doe toch nooit domme dingen?'

'Dat is waar.'

Terwijl haar ouders vertelden over hun weekend, blies Janine de wolkjes boven haar theeglas weg en dacht aan woensdag. Ze had nog drie nachten om erover na te denken.

HOOFDSTUK 8

'En? Hoe was je weekend bij Roel?' Het was pauze en Saartje liep samen met Janine naar het bankje bij de grote boom op het schoolplein. Valerie en Nikki liepen achter hen aan.

'Leuk!' Janine ging zitten. 'Amsterdam is echt gaaf. Veel leuker dan dit saaie oord.'

'Vertel.'

Terwijl de meiden een plekje zochten op de bank, vertelde Janine over alles wat ze had meegemaakt het afgelopen weekend. Enthousiast beschreef ze de winkels, de cafeetjes, de terrassen en de vele mensen die ze had gezien. 'Echt zo veel verschillende mensen! Veel toeristen ook. Ik heb zelfs een stel Japanners de weg gewezen naar het Anne Frank Huis,' zei ze. 'In het Engels! Goed, hè?'

Haar vriendinnen luisterden ademloos. Ze lieten duidelijk merken jaloers te zijn op zo'n grote broer bij wie je kon logeren.

'Kan ik niet een keertje mee?' vroeg Saartje.

'Ja, leuk! Gaan we een keer met z'n allen,' riep Valerie.

Janine glimlachte. 'Ik zal het vragen, maar zo veel ruimte is er niet in Roels woning.'

'Gaat hij niet een keer op vakantie?' vroeg Nikki. 'Misschien kunnen we dan met z'n drieën?'

Janine keek bedenkelijk. 'Ik denk niet dat ik dat van mijn ouders mag. Amsterdam is best gevaarlijk.' Ze vertelde over de vele zwervers en zakkenrollers. Roel had haar geleerd om goed op haar spullen te letten. 'Voor je het weet is het weg,' had hij gezegd.

Janine bleef vertellen. Ze genoot van de aandacht die ze kreeg van haar vriendinnen. Dat ze gechat had en online Boy had ontmoet, hield ze maar even voor zich. Ze was er zelf nog niet eens uit... Hoe moest ze het dan aan haar vriendinnen uitleggen? Laat staan dat ze Niels dan onder ogen durfde te komen.

Dat was nu al een probleem, want Niels had haar vanochtend hartelijk begroet en dat was pijnlijk genoeg. Zijn enthousiaste omhelzing voelde als een wurging en Janine kon niet verbergen dat ze verstijfde. Niels had haar bezorgd aangekeken en gevraagd wat er was.

'Niets,' had ze gezegd, maar haar stem trilde.

Gelukkig was de bel gegaan en konden ze naar bin-

91

nen. De hele ochtend had ze Niels niet aan durven kijken. Vanuit haar ooghoeken had ze wel gezien dat hij haar aandacht trok, maar ze had net gedaan of ze het niet zag.

En nu was het pauze. De jongens voetbalden altijd en ze hoopte maar dat Niels niet naar haar toe zou komen.

'Ben je nog uit geweest?' vroeg Valerie.

'Ja, we zijn naar de film geweest en hebben wat gedronken op het Rembrandtplein. Echt cool.'

'Nog leuke jongens ontmoet?' Valerie kon haar nieuwsgierigheid niet bedwingen.

'Doe niet zo maf,' zei Nikki. 'Janine heeft al een leuke jongen. Dan let je daar niet op.'

Janine lachte. 'Leuke jongens genoeg in Amsterdam.'

'Zie je wel,' zei Valerie en ze wendde zich weer tot Janine. 'Vertel!'

'Er valt niets te vertellen. Ik was daar met Roel en heb alleen maar gekeken. Hoe was jullie weekend eigenlijk?'

'Saai,' zei Saartje iets te snel.

'Jullie hadden vrijdagmiddag toch afgesproken?'

Er viel een stilte.

'Hoe weet jij dat nou?' vroeg Saartje. 'Je was meteen naar huis.'

'Ik ben niet gek, hoor!' antwoordde Janine. 'Ik hoorde jullie afspreken tijdens de rekenles.'

'O.'

Janine keek verbaasd. 'Wat doen jullie gek. Had ik dat niet mogen weten soms?'

'Jawel,' zei Nikki. 'Maar we dachten dat je het te druk had met je logeerpartij.'

Janine zuchtte. 'Was ook zo. Ik was er echt aan toe, hoor.' Ze keek naar Niels, die achter de bal aan rende en bijna een doelpunt scoorde. 'Even lekker weg van alles.'

'Miste je Niels niet?' vroeg Nikki, die zich niet kon voorstellen dat ze Myren zo'n tijd niet zag.

Janine verschoot van kleur toen de bal in de richting van het bankje rolde en Niels erachteraan rende. 'Eh, ik moet naar de wc. Ik ben zo terug.'

Ze stond op en liep naar de deur van de school. Vanuit haar ooghoeken zag ze Niels bij het bankje staan met de bal in zijn handen. Hij zei iets tegen haar vriendinnen. Janine ging snel de school in en haalde opgelucht adem. Tegelijkertijd realiseerde ze zich dat dit een lastige situatie was. Ze kon Niels toch niet blijven ontlopen? En waarom? Er was helemaal niets aan de hand. Wat haalde ze zich in haar hoofd? Die Boy was gewoon een jongen met wie ze gechat had, meer niet. Dat hij met haar wilde afspreken, stelde niets voor. Hij wist dat ze een vriendje had en wilde alleen maar kennismaken. Wat was daar nou raar aan? Ze praatte toch ook wel eens met andere jongens op school?

Janine wist dat ze zichzelf voor de gek hield. Natuur-

lijk was praten met andere jongens niet erg, maar verliefd zijn op een andere jongen? Dat kon echt niet! En
ze was verliefd. Dat voelde ze. Ze wilde het niet, maar
het was er: de vlinders in haar buik als ze aan Boy
dacht. De onrust in haar lichaam als ze aan de afspraak
van woensdag dacht. Het schuldgevoel als ze Niels
zag. Dit kon niet, maar het was er wel! Janine opende
de wc-deur en sloot zichzelf voor een paar minuutjes
op. Hier kon ze tenminste even rustig nadenken.

'Hé, meiden!' Niels pakte de bal en keek heel even
om naar Janine die naar de schooldeur liep.
'Het is net of ze je expres ontloopt,' zei Nikki lachend.
'Ja,' zei Niels, maar hij lachte niet mee. 'Laat dat net
alsof maar weg.'
'Hoezo?' Saartje keek Niels onderzoekend aan. 'Hebben jullie ruzie?'
'Nee, niet dat ik weet.'
'Jullie doen raar,' zei Saartje.
'Ik niet,' riep Niels. 'Janine doet raar! Vanochtend
wilde ze mij ook al niet echt... eh... spreken.' Hij
ontweek met een verlegen blik de priemende ogen
van Saartje. 'Weten jullie soms wat er met haar aan
de hand is? Meiden onder elkaar vertellen elkaar
toch alles?'
'Nou,' zei Valerie. 'Ze zei dat ze een leuk weekend
had gehad. Ze is bij haar broer geweest.'

'Ja, ja, dat weet ik,' zei Niels. 'Heeft ze jullie iets verteld?'

'Zoals?' vroeg Saartje, die nu op het randje van de bank zat.

'Ja, weet ik veel. Misschien is er iets gebeurd, waardoor ze zo... zo...' Hij keek naar de schooldeur en zweeg.

'Ik denk dat ze gewoon moe is,' zei Saartje, die Valerie en Nikki een dwingende blik toewierp. 'Ga lekker voetballen. Morgen is Janine weer de oude.'

'Zou je denken?'

'Ga nou maar,' zei Saartje. 'Je ploeggenoten wachten op de bal.' Ze wees naar de groep jongens in de verte die met hun armen in de lucht stonden te zwaaien naar Niels.

'Kom nou, man!' riep Thijs.

Niels draaide zich om en rende naar zijn vrienden toe.

'Waarom keek je nou opeens zo boos?' vroeg Valerie toen Niels weg was.

'Janine verbergt iets,' zei Saartje zacht.

'Echt?'

Nikki keek Saartje onderzoekend aan. 'Dus jij denkt hetzelfde als ik?'

Saartje knikte.

'Ik word gek,' riep Valerie. 'Heb ik wat gemist?'

'Blijkbaar wel, ja,' mompelde Saartje.

'Het heeft toch niets te maken met ons... eh... ons

mislukte plannetje?' Valeries stem klonk aarzelend.

'Hoe kom je daar nu bij?' riep Saartje. 'Daar weet Janine toch niets van?'

'Je zei vanochtend zelf dat je nog steeds mailtjes krijgt van mensen die het filmpje toch gezien hebben.'

'Ja, maar dat heeft niets te maken met Janines rare gedrag.' Saartje zuchtte. 'Ik zet nooit meer iets op YouTube. Echt, ik wist niet dat dat zo'n impact had. Ik krijg zelfs mails uit China.'

'Hoe kan dat nou?' riep Valerie. 'Het is in het Nederlands.'

'Ze vinden het enorm grappig en een echte stunt,' legde Saartje uit. 'Er zitten ook wel creeps tussen. Internet zit nu eenmaal vol engerds die heel iets anders willen.' Ze stak haar tong uit. 'Yek!'

'Maar nog geen computer voor Janine?' vroeg Nikki.

'Nee, geen computer,' antwoordde Saartje. 'We zijn er niets mee opgeschoten.'

Valerie werd ongeduldig. 'Eh... even terug naar Janine. Wat denken jullie dat er met haar is?'

'Ze ontwijkt Niels,' mompelde Nikki. 'Dat is duidelijk.'

'En waarom ontwijk je je vriendje?' ging Saartje verder.

'Omdat je hem niet wilt zien misschien?' zei Valerie, die nog steeds met een vragend gezicht naar haar vriendinnen keek.

'En waarom wil je iemand niet zien?' vroeg Saartje.
'Ja, weet ik veel! Houd nu maar op met die spelletjes en vertel gewoon wat je denkt. Dat gaat sneller.'
'Ik denk...' Saartje wachtte even. 'Ik denk dat onze Janine verliefd is op een andere jongen.'
'Wat?' Valerie keek naar Saartje en toen naar Nikki. 'En jij?'
'Ik denk het ook,' voegde Nikki eraan toe. 'Waarom zou je anders je vriendje opeens niet willen zien? Janine hoeft nooit naar de wc in de pauze. Ze zag Niels aan komen lopen en verdween. Je kon de paniek in haar ogen zien.'
'Maar...' Valerie dacht na. 'Hoe dan?'
'Ze is toch een weekend in Amsterdam geweest, suffie,' zei Saartje.
'Denk je dat ze daar...'
Op dat moment kwam Janine het plein weer op gelopen. Langzaam slenterde ze in de richting van de bank. Niels was weer aan het voetballen en Janine haalde opgelucht adem. 'Hè hè,' zei ze toen ze ging zitten. 'Dat lucht op.'
'Je hoeft anders nooit,' zei Valerie.
'Beetje kougevat,' antwoordde Janine.
'Ja, ja... zeker te lang buiten gestaan.' Valeries stem klonk lacherig.
'Hoe bedoel je?' Janine was op haar hoede. Ze voelde de spanning.
'Nee, niets!' Valerie sloeg haar benen over elkaar en

keek naar de voetballende jongens. 'Heb je Niels al gesproken vandaag?'

'Vanochtend,' zei Janine, die onrustig heen en weer schoof op de bank. 'Hoezo?'

Saartje nam het over. 'Hij was hier net om de bal op te halen en vroeg of er iets met jou aan de hand was.'

'Echt?' Janine werd rood. 'Wat gek. Er is niets.'

'Weet je dat zeker?'

Janine schoot in de verdediging. 'Ja, hoor eens! Wat is dit voor een kruisverhoor opeens? Zitten jullie achter mijn rug om met Niels over mij te praten? Lekkere vriendinnen zijn jullie!' Janine stond op. 'Ik heb hier geen zin in. De groeten!' Met grote stappen liep ze in de richting van een stel meiden die aan het knikkeren waren.

De rest van de ochtend verliep in stilte. De reken-toets die de meester voor de klas had bedacht, bood geen ruimte om te praten. Meteen nadat de bel ging, liep Janine de klas uit, trok haar jas aan en vertrok naar huis.

'Die heeft duidelijk geen zin om ons onder ogen te komen,' zei Saartje toen ze op de gang stond met Valerie en Nikki. De drie meiden zagen Janine het plein op lopen.

'Is Janine al weg?' Niels kwam bij hen staan.

'Ja, ze had haast,' zei Valerie en ze keek Niels onder-zoekend aan. 'Hebben jullie problemen?'

Het teleurgestelde gezicht van Niels sprak boekdelen.
'Hé, Niels! Vanmiddag bij mij?' Myren kwam met een half aangetrokken jas aangelopen.

'Prima!' zei Niels.

'Is er wat?' Myren bleef staan.

'Ludduvuddu,' zei Nikki en ze sloeg haar arm om Myren heen. 'Laat hem maar even.'

Niels reageerde alsof hij door een wesp gestoken werd. 'Hoezo liefdesverdriet? Ik…' Hij keek de drie meiden stuk voor stuk aan. 'Vertel op! Wat weten jullie dat ik niet weet?'

Nikki kon haar tong wel afbijten van spijt. Stom! Dat had ze nou niet moeten zeggen.

Saartje redde de situatie. 'Niets, Niels,' zei ze. 'We weten niets. We kunnen alleen maar gokken.'

'Dus er is wel wat?'

Ook Myren leek nu bezorgd. 'Ja, vertel op. Alles waar Niels van baalt zo vlak voor de wedstrijd gaat mij ook aan.'

Valerie stond te popelen. 'Jij zegt toch dat Janine raar doet, dat ze je ontwijkt?'

Niels knikte. 'Ja, dat lijkt zo, maar misschien heb ik het wel helemaal mis.'

'Wij zagen ook dat ze voor jou wegliep in de pauze, zogenaamd om naar de wc te gaan.' Valerie had het nog niet gezegd of de voet van Saartje tikte tegen haar enkel. Een boze blik volgde en Valerie deed een stap naar achteren.

Niels liet zijn schouders zakken. 'Ik weet van niets, echt niet. Vrijdagmiddag was alles nog oké en ik heb haar van het weekend nog een paar keer ge-sms't. Ik snap er niets van.'

Myren liep naar Niels toe. 'Misschien meidengedoe,' mompelde hij. 'Je weet wel.'

Niels keek vragend naar Nikki. 'Is ze...?'

'Geen idee,' antwoordde Nikki, die de trap van Saartje had gezien. 'Niet dat we weten.' Ze lachte.

Niels keek naar Nikki. 'Maar wat bedoelde je dan met liefdesverdriet? Is Janine verliefd op iemand anders?'

'Welnee,' riep Nikki. 'Hoe kom je daar nou bij? Ze is gek op je. Nee eh... ik bedoelde jou daarmee.'

'Mij?'

'Ja, jij keek zo treurig. Dus ik dacht dat jij...' Ze stopte met praten toen ze het opgeluchte gezicht van Niels zag. 'Gelukkig maar,' zei ze toen. 'Niets aan de hand.'

'We moeten gaan,' zei Saartje, die op haar horloge keek. 'Laat het nou maar aan ons over. Het zal allemaal wel meevallen.'

Myren en Niels namen afscheid en de drie meiden trokken hun jassen aan.

'Waarom doen jullie zo moeilijk?' siste Valerie. 'Daarnet zeiden jullie nog dat jullie dachten dat Janine verliefd was op een ander en nu doen jullie heel vaag.'

'Doe toch niet altijd zo onnozel,' brieste Saartje.

'Wat heeft Niels eraan als wij hem vertellen wat we denken?'

Nikki ging verder. 'Zolang we het niet zeker weten, kunnen we dat niet maken. Stel je voor dat het niet waar is?'

Valerie boog haar hoofd. 'Zo had ik het nog niet bekeken. En weet je…' Ze lachte. 'Misschien is Janine echt wel ongesteld geworden.' Valerie liep als eerste in de richting van de schooldeur.

'Ja, misschien wel.' Saartje gaf Nikki een knipoog.

HOOFDSTUK 9

Het was woensdagochtend. Janine stond met geslo-
ten ogen onder de douche en liet de warme water-
stralen langs haar gezicht lopen. Ze had al drie nachten slecht geslapen en ze begon het nu wel te
merken. Dat het niet echt gezellig was geweest de
afgelopen twee dagen op school, werkte daar ook
aan mee.

Janine had zich redelijk staande weten te houden
bij haar vriendinnen. Steeds als ze over Niels begonnen, had ze zich gered met een smoesje. Ze had
haar uiterste best gedaan om haar vriendinnen te
overtuigen dat er niets aan de hand was. Zelfs de
opmerking van Saartje gisteren over een eventueel
ander vriendje had ze zonder blikken of blozen ont-
kend. Tot nu toe was het haar gelukt om niets los
te laten, maar ze wist dat ze dat niet lang meer kon
volhouden. Vandaag was de dag van de waarheid.

Ze moest een beslissing nemen. De afspraak met Boy spookte al drie dagen door haar hoofd. Meende hij het echt? Kwam hij vanmiddag naar de ijssalon? En als ze naar hem toe ging, wat had dat voor consequenties? Stel je voor dat Boy in het echt nog leuker was dan online?

Niels had zich de afgelopen dagen afzijdig gehouden, nadat ze hem duidelijk had gemaakt dat er niets aan de hand was. Ze was moe en voelde zich niet zo lekker, had ze gezegd. Niels had het met veel begrip opgenomen en zelfs geglimlacht toen ze zei dat ze ook niet wist hoe het kwam. Zijn lieve blikken maakten haar nog meer in de war. Hoe kon ze hem zo voorliegen?

Des te erger was het wat ze nu ging doen. Ze had haar besluit genomen en wist dat dit grote gevolgen kon hebben voor haar en Niels. Maar het idee dat ze Boy nooit in het echt zou kunnen zien, was erger. Ze moest dit doen. Voor haar, voor Niels... het kon niet anders.

Janine droogde zich af en kleedde zich aan. Haar natte haren bond ze in een staart. Nadat ze snel een broodje had gegeten, pakte ze haar spullen en trok haar jas aan.

'Tot straks,' riep ze naar haar moeder, die net de borden in de afwasmachine zette.

Haar moeder wenste haar een fijne middag toe en Janine vertrok. De hele weg naar school bonkte haar hart in haar keel. Ze hoopte maar dat de spanning wat wegebde, want dit was ondraaglijk.

'Hé, schoonheid!' Niels kwam aanfietsen en stopte voor Janine.

'Ik ben laat,' zei Janine.

'Weet ik,' zei Niels. 'Ik ook. Ik was mijn drinken vergeten.' Met de fiets aan zijn hand liep hij met Janine mee. 'Alles goed?'

'Prima,' zei Janine. 'Met jou ook?' Het voelde een beetje tuttig, maar ze wist zo gauw geen andere woorden te bedenken.

'Goed.'

Janine voelde de blik van Niels op haar gericht. 'Straks een topotoets,' zei ze. 'Heb jij geleerd?'

'Een beetje. Je kent me toch.'

Janine glimlachte. Ja, ze kende Niels maar al te goed. Boy kende ze niet. Nog niet. Boy was spannend.

'Vanmiddag is het toernooi, toch?' Janine wist dat ze zo zijn aandacht af kon leiden. Voetbal was alles voor hem.

'Ja,' zei Niels. 'Myren en ik gaan winnen. We spelen in duo's binnen een board. Het is echt een vetsnel spel.'

'Weet je al wie de andere deelnemers zijn?'

'Nee, maar dat kan nooit veel soeps zijn.' Hij lachte. 'Myren en ik zijn keigoed.'

'Jullie zijn *the best*,' zei Janine.

Niels pakte haar hand. 'Ja, hoe kan het ook anders

met het mooiste meisje van de wereld als vriendin.'
Janine liet zijn hand los en schoof haar tas hoger op
haar schouder. 'Ik hoop dat jullie winnen.'
Ze kwamen op het schoolplein aan en Niels reed
naar het fietsenhok. Janine voegde zich bij haar
vriendinnen, die zo te zien druk in gesprek waren.
'Hoi!' zei ze.
Het gesprek verstomde en Nikki, Valerie en Saartje
keken haar wat geschrokken aan.
'Ik ben het maar,' zei Janine.
'Eh… ja, hoi!' zei Valerie. 'We hadden het net over…'
'Over de toets,' viel Saartje haar bij. 'We moesten
wel veel namen leren deze keer.'
'Vind je?' vroeg Nikki. 'Ik vond het wel meevallen.
Wat jij, Valerie?'
Valerie knikte wat verlegen.
'Wat ben je laat,' zei Saartje en ze keek naar Niels,
die net de fietsenstalling uit kwam lopen. 'Zag ik je
nou met Niels?'
'Ja,' zei Janine. 'Hij kwam me ophalen. Lief, hè?'
'Heel lief,' mompelde Saartje.
'Dus het is weer helemaal aan?' Valerie sloeg haar
handen in elkaar.
'Dat was het al.'
'Gelukkig maar.'
'Hoezo?' Janine keek verbaasd.
'Zomaar, ik dacht… nou ja, jullie zijn de laatste tijd
niet meer zo close.'

'Doe niet zo maf.' Janine reageerde fel. 'Hoe kom je daar nu bij?'

'Nou, zo gek is dat niet,' viel Saartje bij. 'We hebben allemaal het gevoel dat je Niels ontwijkt. Jullie hebben deze week geen enkele keer afgesproken.'

'Sinds wanneer houden jullie mijn agenda bij?' zei Janine verbolgen. 'Vanmiddag is het toernooi. Niels moest de afgelopen week elke dag trainen met Myren. Logisch dat ik hem met rust laat.'

Nikki probeerde de sfeer te redden. 'Dat is waar. Myren is ook superzenuwachtig. Ik hoop maar dat ze winnen. Ze hebben er zo veel tijd in gestoken.' Ze keek naar Janine. 'Ga jij vanmiddag kijken?'

Janine schrok, maar probeerde dit niet te laten merken. 'Kijken?' Ze herinnerde zich vaag dat Niels haar had uitgenodigd, maar ze was het compleet vergeten. Dat het nu net vanmiddag moest zijn.

Nikki knikte. 'De prijsuitreiking is om drie uur,' legde ze Valerie en Saartje uit. 'Daar mogen we bij zijn. Ik vind het best spannend. Stel je voor dat ze verliezen.'

'Ja,' zei Janine. 'Dat zou niet leuk zijn. Weet je wat? We kunnen maar beter niet gaan.'

'Ben je mal!' riep Nikki. 'Dan is het net of we ze in de steek laten.'

'Tuurlijk niet! Het is juist sneu als ze niet winnen en wij een potje vrolijk komen doen.'

Nikki schudde haar hoofd. 'Nee, we laten ze niet in

de steek. Ik ga! En jij ook. Zal ik jou komen halen? Halfdrie?'

Janine aarzelde. 'Eh... nee, ik kan eigenlijk niet.'

Nikki fronste haar wenkbrauwen. 'Je kunt niet?'

'Nee, sorry.' Janine probeerde de onderzoekende blik van Saartje te ontwijken.

'Wat ga je doen dan?' vroeg Saartje.

De bel ging en Janine voelde haar hart in haar keel kloppen. Net op tijd! Ze draaide zich om en liep naar de schooldeur. 'Niets,' riep ze nog.

Saartje gaf niet op. 'Heb je wat bijzonders te doen of zo?' Ze rende achter Janine aan.

Janine bleef staan en voelde al haar spieren verstijven. De toon in Saartjes stem maakte dat ze op haar hoede was. 'Nee, nee, mijn opa en oma komen op visite.' Bij het uitspreken van deze woorden wist ze dat het een ontzettend domme smoes was. En Saartje wist dat ook.

'En dan mag je niet weg?' vroeg Saartje op een spottende toon.

'Nee, dat vindt mijn moeder niet gezellig.' Janine hing haar jas op en liep zonder nog iets te zeggen de klas in.

Verbaasd bleef Saartje bij de kapstok wachten op Valerie en Nikki.

'En?' vroeg Valerie. 'Wat was er nou?'

Saartje haalde haar schouders op. 'Ze zegt dat ze niet weg mag, omdat haar opa en oma op visite komen.' Saartje keek bedenkelijk. 'Ik geloof er niets van.'

'Waarom zou ze liegen?' vroeg Nikki.

'Ja, weet ik veel. Het klopt gewoon niet.' Saartje keek door het smalle raam boven de kapstok de klas in, waar Janine aan haar tafel was gaan zitten. 'Er is iets met haar. Dat voel ik.'

'Ze zegt zelf dat er niets aan de hand is,' zei Nikki. 'Als vriendinnen moeten we haar geloven.'

'Als vriendinnen moeten we haar juist helpen als ze in de problemen zit,' reageerde Saartje.

'Problemen?' vroeg Valerie. 'Maak je het niet groter dan het is?'

Saartje reageerde fel. 'Ben je blind of zo? Twee dagen lang is Janine chagrijnig en ontloopt ze ons en Niels. Nu is ze opeens supervrolijk, terwijl haar opa en oma op visite komen en ze de deur niet uit mag. Dat is toch raar?'

'Zoals jij het zegt klinkt het inderdaad raar,' zei Nikki. 'Maar dat komt doordat we willen dat het raar is.'

'Huh?'

Nikki keek naar Janine. 'Janine heeft strenge ouders. Ze heeft wel vaker iets verzwegen, omdat ze zich schaamde. Weet je nog die keer dat we 's avonds naar de film wilden? Zij mocht niet van haar ouders en toen vertelde ze ons dat ze niet lekker was.'

'Ja,' zei Saartje. 'Daarom juist. Als wij toen niet hadden doorgevraagd, had ze het nooit aan ons verteld. Dat is nu ook zo. Er is iets en ze wil niet zeggen wat.'

'Ik bedoel juist,' zei Nikki, 'dat het misschien waar is wat ze zegt. Als haar ouders al zo streng zijn, dan zullen haar opa en oma nog strenger zijn.'

'Luister,' zei Valerie. 'Als Janine zegt dat er niets aan de hand is, dan is er niets aan de hand.'

'Maar ze liegt,' riep Saartje. 'Ik weet het zeker.'

'Wij liegen ook,' fluisterde Valerie. 'En niet zo'n klein beetje ook.' Ze hing haar jas aan de kapstok. 'Laten we ons liever concentreren op dat stomme filmpje dat nog steeds op internet rondzwerft.'

Haar vriendinnen zwegen.

'Ik schaam me dood als Janine erachter komt,' ging Valerie verder. 'Zelfs mijn nichtje heeft het film-pje gezien. Ze kreeg het via een vriendin op haar school en herkende mij. Ik baal echt. We moeten iets doen!'

Saartje ritste haar jas los. 'We kunnen niets doen. Ik heb het filmpje zaterdag al van YouTube gehaald, maar het is gedownload en doorgestuurd. Ik krijg nog steeds bergen mail, maar een computer, ho maar.'

Valerie keek om zich heen om te zien of iemand hen kon horen. 'Wij roddelen de hele tijd over Janine die zogenaamd geheimen heeft, maar in werkelijkheid zijn wij zelf ook niet lekker bezig.'

'Je hebt gelijk,' zei Nikki. 'Misschien is het toch

beter om Janine in te lichten. Als we willen dat zij eerlijk is, moeten wij het ook zijn.'

'Dat is heel wat anders,' siste Saartje.

'Luister,' ging Nikki verder. 'Als Janine erachter komt, vertrouwt ze ons nooit meer.'

'Als we het opbiechten ook niet,' zei Saartje.

'Ja, maar dan kunnen we zeggen dat we het deden om te helpen. Door alles eerlijk te vertellen laten we zien dat we haar vriendinnen zijn.'

'Ik weet het niet, hoor,' mompelde Saartje.

Valerie leunde tegen de kapstok. De meester was nog niet in de klas, dus ze hadden nog even. 'Dit gaat een keer mis. Daarnet op het plein betrapte ze ons ook bijna toen we het erover hadden. De hele school weet het al, dus stel nou dat ze erachter komt?'

'Rustig nou,' zei Saartje. 'Janine heeft niet eens een meester! We doen het niet!' Ze stapte de klas in.

'Wat moeten we nu?' vroeg Valerie.

'Even niets,' zei Nikki. 'We hebben het er nog wel over.'

De twee meiden liepen de klas in en gingen op hun plaats zitten. Janine en Saartje hadden hun topo-kaart voor zich liggen en overhoorden elkaar. Het was al snel duidelijk dat Janine er niets van bakte.

'Heb jij het wel geleerd?' vroeg Saartje toen de meester de klas in kwam.

Janine schudde haar hoofd. 'Niet echt.'

De meester vroeg om stilte en de klas zweeg.

'Het ging voor geen meter.' Janine liep met een boos gezicht de school uit.

'Wacht nu eerst maar even af,' zei Niels. 'Misschien valt het mee.'

'Voor het eerst van mijn leven heb ik een dikke onvoldoende.'

Niels sloeg zijn arm om haar heen. 'Misschien, maar jij hebt mij! En dat compenseert alles, toch?'

Janine glimlachte. 'Dat is waar.'

Niels keek op zijn horloge. 'Ik moet weg.' Hij gaf haar een kus. 'Duim je voor me?'

'Tuurlijk.'

'Tot straks!' Niels liet haar los en wilde naar het fietsenhok lopen.

'Niels?' Janine hield hem tegen. 'Ik kom niet vanmiddag.'

'Niet?'

Het teleurgestelde gezicht van Niels maakte Janine zich nog schuldiger voelde dan daarvoor.

'Nee, mijn opa en oma komen.'

Niels zei niets.

'Ik moet thuisblijven,' voegde ze eraan toe. 'Sorry.' Ze gaf hem een kus. 'Maar ik zal voor je duimen en je gaat vast en zeker winnen. Nikki juicht voor twee.'

Niels draaide zich om en liep zonder iets te zeggen naar zijn fiets. Janine kon wel gillen. Wat was ze aan het doen? Waarom loog ze tegen Niels? Ze was niet goed bij haar hoofd. Niels was de liefste en leukste jongen van de hele school en hij was gek op haar. Heel even overwoog ze om achter hem aan te rennen. Om hem de waarheid te vertellen. Dat ze een afspraak had met een wildvreemde jongen die ze nog nooit had gezien en dat ze dat belangrijker vond dan zijn wedstrijd. Ze voelde haar wangen rood worden van schaamte.

'Niels?' Ze had zijn naam geroepen voordat ze er erg in had.

Niels draaide zich om.

'Zet 'm op!'

De opgestoken hand van Niels was de enige reactie die ze kreeg voordat hij de fietsenstalling in liep. Met een stekende pijn in haar buik liep Janine het schoolplein af. Ze had geen flauw idee wat deze dag nog ging brengen, maar tot nu toe was het niet veel soeps geweest. Hopelijk verliep de middag beter. De hele weg naar huis voelde ze haar buik. De pijn ging niet weg.

Janine smeet haar tas in de gang en liep door naar de woonkamer. 'Hoi, mam.'

Haar moeder stond bij de gedekte tafel en zette twee glazen neer. 'Dag, Janine. Hoe ging je topo?'

'Slecht.' Janine ging zitten en pakte een boterham uit de zak. Ze had niet echt honger, maar misschien verdween de pijn in haar buik als ze iets at. 'Is er geen smeerworst?'

Haar moeder schonk melk in en ging tegenover haar zitten. 'Nee, maar er ligt genoeg, vind je niet?'

Zwijgend smeerde Janine boter op haar brood.

'Heb je vanmiddag nog plannen?' Haar moeder keek vragend.

'Ja, misschien.' Janine pakte de pot met pindakaas. 'Even naar de ijssalon, denk ik.' Janine hoopte maar dat haar moeder niet verder zou vragen. Tot nu toe had ze niet gelogen en dat wilde ze graag zo houden. Ze keek op de klok. Over een halfuur moest ze weg, wilde ze op tijd zijn. 'Hoe was het hier?'

Terwijl haar moeder vertelde over haar bezoek aan de tandarts, zag Janine de minuten wegtikken. Nog even, dan zou ze Boy in levenden lijve ontmoeten en wist ze waar ze aan toe was.

'Saartje, wacht!' Valerie rende over het schoolplein naar Saartje toe, die net van plan was op haar fiets te stappen. In de verte kwam Nikki aangelopen. Saartje draaide haar fiets aan de kant, zodat ze ruimte maakte voor de kinderen die erlangs wilden. 'Wat is er?'

'Nikki en ik willen toch naar Janine gaan.'

Saartje keek verbaasd. 'Om het te vertellen?'

Valerie knikte. 'Het is misschien toch beter dat Janine het weet,' zei ze.

Nikki kwam erbij staan. 'Janine deed vanochtend zo bitcherig. We denken dat ze het weet.'

Saartje schrok. 'Zou je denken?' Ze keek naar Nikki.

'Maar hoe dan? Jij zei vanochtend zelf dat ze geen computer heeft. Heeft er iemand gekletst?'

'Dat doet er niet toe,' ging Valerie verder. 'Het wordt gewoon te gevaarlijk. Haar broers hebben een computer en haar vader op zijn werk ook. We krijgen een hoop gedonder als we het niet zelf vertellen.'

Nikki keek bezorgd. 'Het is niet meer te stoppen, Saar. Eens komt ze het te weten. Via familie, vrienden of wie dan ook. Als we uitleggen dat wij het alleen hebben gedaan om haar te helpen, valt het misschien allemaal mee.'

Saartje twijfelde duidelijk. 'Als jullie denken dat het beter is…'

Valerie en Nikki knikten.

'En nu willen jullie naar haar toe?' ging Saartje verder.

'Ja, ze is toch de hele middag thuis,' zei Valerie.

'Ik moet wel naar de prijsuitreiking van Myren en Niels om drie uur,' zei Nikki.

'Hoe eerder we gaan, hoe beter,' zei Valerie. 'Wat spreken we af?'

Na een korte discussie besloten de meiden om meteen na de lunch bij Janine langs te gaan.

'Je hebt kans dat die opa en oma er dan nog niet zijn,' zei Valerie.

'Kwart voor twee bij de speeltuin bij Janine op de hoek?' vroeg Valerie.

De andere twee meiden knikten.

'Dan ben ik nog op tijd voor de prijsuitreiking,' zei Nikki. 'Goed plan.'

HOOFDSTUK 10

'Ik ga!' Janine trok haar jas aan.

'Vijf uur thuis,' riep haar moeder vanuit de kamer. 'We eten vroeg.'

'Oké.' Janine keek nog even snel in de spiegel. Ze trok haar lange blonde haren van achter uit haar jas omhoog en gooide de bos naar achteren. Tevreden keek ze naar het kaarsrecht getrokken lijntje onder haar ogen en de blauwe oogschaduw op haar ooglid. De roze blouse matchte precies bij haar vale jeans. Ze had wel een kwartier voor de spiegel gestaan en was, na vijf omkleedpartijen, tot de slotsom gekomen dat dit de perfecte combinatie was.

Haar moeder stak haar hoofd om de hoek van de deur. 'Jij ziet er mooi uit.'

'Ja, daar had ik zin in.' Janine draaide zich om en opende de voordeur. 'Doei!'

Voordat haar moeder nog iets kon zeggen, stond ze

buiten en viel de deur met een klap achter haar dicht. Janine keek op haar horloge. Het was kwart voor twee. Genoeg tijd om naar het centrum te fietsen.

Het was mooi weer en Janine merkte dat de pijn in haar buik was verdwenen. Daarvoor in de plaats was een kriebel gekomen die ze juist prettig vond. In gedachten zag ze het gezicht van Boy voor zich. De blik in zijn ogen liet haar niet los. Zou hij in het echt net zo leuk zijn als op de foto?

Janine fietste via de Parkweg naar het centrum. Ze wilde niet het risico lopen dat ze een bekende tegenkwam. De weg liep achter het park langs en het was er vrij stil vandaag. Janine had geen haast en trapte rustig door.

Boy had haar nog nooit gezien en wist dus niet hoe ze eruitzag. Janine had zich voorgenomen om iets later dan twee uur bij de ijssalon te arriveren, zodat ze hem op haar gemak kon bespioneren. Wel zo handig.

Ze naderde het centrum en sloeg links af. De ijssalon bevond zich aan het eind van de winkelstraat. Janine reed via de parallelweg naar het fietsenrek dat recht tegenover de ijssalon stond. Met een kloppend hart stapte ze af en schoof haar voorwiel in een van de openingen. Met een schuin oog keek ze naar de ijssalon. Het was al behoorlijk druk. Langzaam gleed haar blik over de rij mensen die stonden te wachten

117

totdat ze aan de beurt waren, maar geen van allen leken ze op Boy.

Janine bleef over haar fiets gebogen staan en keek naar het kleine terras aan de zijkant van de ijssalon. Haar adem stokte. Daar zat hij. Weliswaar met zijn rug naar haar toe, maar ze wist zeker dat het Boy was. Ze herkende hem direct. Zijn blonde krullen glansden in het zonlicht. De fietssleutel gleed uit het slot in haar hand en Janine ging rechtop staan. Met grote stappen liep ze naar de ijssalon en ging achteraan in de rij staan. Ze kon Boy door het raam van de ijssalon duidelijk zien. Hij keek op zijn horloge en draaide zich om.

Janine deed een stap opzij, zodat ze achter de rug van de man voor haar kon schuilen. Via de spiegel achter de toonbank kon ze Boy in de gaten houden. Hij was gaan staan en tuurde om zich heen. Janine aarzelde. Hij zag er een stuk groter uit dan ze zich had voorgesteld. Was deze jongen veertien jaar oud? Hij leek veel ouder. Niet alleen zijn lengte deed haar twijfelen, ook zijn gezicht had een oudere uitstraling. Als ze niet beter zou weten, zou ze hem minstens achttien jaar schatten.

Moest ze naar hem toe lopen of weggaan? Nu kon ze nog rechtsomkeert maken. Hij had haar nog niet gezien. Janine voelde haar hart in haar keel kloppen. Hij zag er wel heel leuk uit. Echt een stoere, knappe jongen.

Ze keek op haar horloge. Het was vijf minuten over twee en zo te zien werd Boy ongeduldig. Als ze nog langer wachtte, ging hij misschien wel weg en waren al haar leugens thuis en op school voor niets geweest. Boy ging weer zitten en Janine deed een paar stappen naar achteren. De mensen achter haar in de rij schoven op. Nu moest ze wel. Nieuwsgierig liep ze naar de hoek van de ijssalon en bleef daar even staan. Er zaten een paar mensen op het terras. Janine haalde diep adem en stapte het terras op.

'Sorry!' Nikki hijgde. 'Ik moest mijn kamer opruimen.' Ze grijnsde. 'Niet echt mijn sterkste kant.' Ze keek op haar horloge. 'Kwartiertje te laat. Valt mee, toch?'
Valerie en Saartje zeiden niets, maar gebaarden dat Nikki op moest schieten. Behendig plaatste Nikki haar fiets tegen een boom en zette hem op slot. 'Ik kom al.'
De drie meiden liepen naar de voordeur van Janines huis. Valerie belde aan. Na enkele seconden zagen ze iets bewegen in de gang en even later zwaaide de deur open.
'Hé, meiden! Wat komen jullie doen?' De moeder van Janine keek verbaasd.
'Is Janine thuis?' vroeg Saartje.
'Nee, die is al naar jullie toe.' Ze glimlachte. 'Lekker afgesproken, dames!'

Saartje wilde iets zeggen, maar ze slikte gauw haar woorden in.

'Eh… kunt u ons zeggen waar ze naartoe is?' vroeg Nikki.

'Ze ging…' De moeder van Janine wachtte even. 'Geen idee eigenlijk. Ik begreep dat ze met jullie had afgesproken. Wacht… ze had het wel over de ijssalon.' Ze keek de meiden aan. 'Misschien zit ze daar op jullie te wachten?'

'O ja,' zei Nikki. 'Dat is ook zo!' Ze wendde zich tot haar vriendinnen. 'Stom van ons, toch? Wat een misverstand, zeg!' Ze wierp een dwingende blik op Valerie en Saartje, die wijselijk hun mond hielden.

'Moet ik Janine even bellen dat jullie wat later zijn?'

'Nee, nee, dat hoeft niet.' Nikki voelde haar hoofd rood worden. 'We zijn er zo.'

Janines moeder wilde de deur dichtdoen.

'Mevrouw?' Saartje deed een stap naar voren en hield de deur tegen.

'Ja?'

'Zijn de opa en oma van Janine er?'

'Hoe kom je daar nu bij?'

'Nou…' Saartje aarzelde. 'Ik dacht dat Janine zoiets had gezegd.'

'Nee, hoor! Die komen niet zomaar doordeweeks, ze wonen in Groningen. Als ze al komen, dan is het in het weekend.' De moeder van Janine deed een stap naar binnen. 'Nou, veel plezier, meiden! Zeg maar tegen Janine dat ze om vijf uur thuis moet zijn.'

'Doen we!' riep Nikki.

De deur viel in het slot en de drie vriendinnen liepen terug naar hun fiets.

'Zie je wel!' zei Saartje. 'Ze liegt dat ze barst.'

'Volgens mij heb je gelijk,' zei Valerie. 'Ik snap er niets van. Tegen ons zegt ze dat ze thuis moet blijven omdat haar opa en oma er zijn, maar die zijn er helemaal niet.'

Saartje schudde haar hoofd. 'Ja, en het ergste is dat ze tegen haar moeder heeft gezegd dat ze bij ons is.'

'Weet je wat ik erg vind?' Nikki sprak kalm, maar de woede in haar stem was duidelijk voelbaar. 'Ze heeft Niels en mij ook voorgelogen. Wat is er zo belangrijk dat ze daar de prijsuitreiking van Niels en Myren voor laat schieten?'

'En al haar vriendinnen voorliegt?' vulde Valerie aan.

'Wat doen we?' Saartje had haar fiets al van het slot gehaald. 'Bellen we haar op?'

'Nee,' zei Nikki. 'Misschien moeten we eerst naar de ijssalon gaan. Dat is onze enige aanwijzing.' Ze keek op haar horloge. 'Ik moet over een uur bij Myren zijn, dus dat kan nog net.'

'We weten niet eens zeker of ze daar wel is,' riep Valerie. 'Janine liegt voortdurend.'

'Dat is waar. Maar als we bellen, weet ze meteen dat we haar doorhebben.'

'Gek eigenlijk,' zei Valerie, die nu ook haar fiets had gepakt. 'Wij kwamen naar Janine toe om ons geheim op te biechten en nu blijkt dat zij ook niet helemaal eerlijk is.'

'Niet helemaal eerlijk?' herhaalde Saartje. 'Ze liegt iedereen keihard voor. Niels, ons, haar moeder...'

'Misschien zit ze wel in de problemen,' bedacht Nikki.

'Problemen?' Saartje schoot in de lach. 'Kom nou! Janine heeft nooit problemen. Als er iemand braaf en lief is, dan is het Janine wel. Haar grootste probleem tot nu toe was de zeven die ze ooit voor haar reken-toets haalde.'

'Daarom juist,' zei Nikki, die zich niet van de wijs liet brengen. 'Janine liegt nooit.'

'Eens moet de eerste keer zijn,' zei Saartje boos. 'Ik heb altijd al gedacht dat Janine geheimen had. Ze is gewoon aan het liegen en...'

'Saar!' Valerie schoot uit haar slof. 'Niet doen!'

Saartje stapte op haar fiets. 'Gaan jullie mee?'

'Waar naartoe?' vroeg Valerie.

'Naar de ijssalon,' riep Saartje. 'En als ze daar niet is, dan bellen we haar op en vertellen we haar de waar-heid.'

'Over ons filmpje?'

'Nee, dombo! Over wat we van haar vinden.'

Nikki reed de weg op. 'En nu even stil, jullie allebei! Zolang we niet weten wat er aan de hand is, houden we onze mond.'

Zwijgend fietsten Valerie en Saartje achter Nikki aan. Alle drie waren ze bezorgd en boos tegelijk. Wat was er toch met Janine aan de hand?

Janine liep naar het tafeltje waar Boy zat. Nog voordat ze iets kon zeggen of doen, had hij haar al herkend.

'Janine?' Hij sprong op en kwam enthousiast naar haar toe. 'Je bent gekomen.'

Janine was sprakeloos. Een angstig voorgevoel bekroop haar. Boy kende haar naam! Hoe kon dat? Ze had toch alleen haar schuilnaam gebruikt toen ze met hem chatte?

'Ga zitten,' zei Boy en hij schoof een stoel naar achteren. 'Ik ben zo blij dat je er bent.' Hij keek om zich heen. 'Weet iemand dat je hier bent?'

Janine schudde haar hoofd en ging zitten. Boy ging tegenover haar zitten. Nu ze hem van dichtbij zag, werden haar vermoedens bevestigd. Deze jongen kon onmogelijk veertien jaar oud zijn. Zijn lichaam, gezicht... ja, zelfs zijn manier van doen vertelde haar dat hij een stuk ouder was.

'Iets drinken?' Boy zwaaide al naar het meisje van de bediening. 'Wat wil je?'

'Doe maar cola,' zei Janine, die totaal van de kaart was. Verstijfd zat ze op haar stoel. Ze kon niet meer helder denken. Waarom had hij gezegd dat hij veertien was? En hoe kende hij haar naam? Deze en vele andere vragen spookten door haar hoofd en ze werd er onrustig van. Haar vingers friemelden aan haar broek.

Boy bestelde twee cola bij het meisje en richtte zich weer tot Janine. 'Ik begon even te twijfelen of je wel zou komen,' zei hij met een glimlach. 'Je ziet er in het echt stukken leuker uit.'

Janine kon zich niet langer beheersen. 'Hoezo... in het echt? Heb je mij dan al eens gezien?'

Boy knikte. 'Ja, zo grappig. Ik heb je filmpje gezien op YouTube.'

'Filmpje?' Janine snapte er niets van. Ze had helemaal geen filmpje van zichzelf op internet gezet. Hij was vast in de war.

Boy lachte. 'Kijk niet zo verbaasd. Je weet best wat ik bedoel. Jij bent toch Janine?'

Janine knikte. 'Ja, maar...'

'En je bent op zoek naar een computer?'

'Ja, dat heb ik je verteld.' Janine voelde haar stem trillen. 'Maar ik heb je niet verteld hoe ik heet.'

'Dat hoefde niet,' zei Boy. 'Toen ik je zag, wist ik meteen dat jij het was. Eigenlijk heel toevallig. Die zaterdag dat ik met je chatte, kwam ook dat filmpje voorbij. Echt hilarisch. Alles klopte en daarom weet ik dat jij Janine heet.'

Janine keek hem vragend aan. Waar had hij het over? 'Ik kan misschien iets voor je regelen,' ging Boy verder.

Het meisje kwam met de twee cola en er viel een stilte. Boy haalde zijn portemonnee uit zijn zak en betaalde de serveerster. Janine staarde naar de handen van Boy die behendig een briefje van tien euro tevoorschijn haalde. Zo te zien zaten er meerdere briefjes van vijftig euro in zijn portemonnee. Janine schoof zenuwachtig heen en weer op haar stoel. Dit klopte niet. Een jongen van veertien jaar heeft niet zomaar een paar honderd euro in zijn portemonnee. Terwijl Boy het muntgeld aannam van de serveerster, zag Janine een klein roze kaartje in een van de gleuven van de portemonnee zitten. In een flits besefte ze dat het een rijbewijs was en dat hij dus inderdaad minstens achttien jaar oud moest zijn.

Het meisje liep weg en Boy schoof het colaglas naar haar toe. 'Proost!' zei hij.

Janine pakte haar glas op en nam een slok. Wat moest ze doen? Weglopen? Er zaten nog drie andere mensen op het terras. Boy kon haar niets maken als ze nu opstond en wegliep.

'Heb je al een computer gevonden?' Boy keek vriendelijk.

'Eh… nee, nog niet.' Janine nam nog een slok. Haar lichaam stond op scherp. Eén verkeerde beweging van deze jongen en ze was weg.

'Ik kan wel wat voor je regelen,' ging Boy verder. 'Ik heb een vriend en die heeft een computer over. Voor vijftig euro mag je hem hebben.'

Janine glimlachte geforceerd, maar zei niets. Natuurlijk wilde ze wel een computer voor vijftig euro, maar niet op deze manier. Het was overduidelijk dat er iets niet klopte.

'Vijftig euro is een koopje, hoor, voor zo'n computer,' ging Boy verder. Terwijl hij wat technische details opnoemde, keek Janine voorzichtig op haar horloge. Als ze het handig aanpakte, kon ze nog op tijd bij Niels zijn.

'Luister je wel?' De stem van Boy drong langzaam tot haar door.

'Eh… ja.' Janine zette haar glas neer en haalde diep adem. 'Hoe oud ben jij eigenlijk?'

Boy keek verbaasd. 'Heb ik dat niet verteld dan?'

'Je profiel zei dat je veertien was.' De toon in haar stem liet niets te raden over.

Boy glimlachte. 'O ja, sorry! Dat is een oud profiel. Ik ben achttien,' zei hij. 'Maar goed dat je het niet wist, anders was je vast nooit gekomen, of wel?'

Janine beet op haar lip. Vertelde hij nu echt de waarheid?

'Ik weet wat je denkt,' ging Boy verder. 'Jij vraagt je af of ik nu wel de waarheid vertel.'

Het begon irritant te worden, vond Janine. Hij was haar steeds een stapje voor. Het onrustige gevoel sloeg om in boosheid. Wat dacht deze jongen wel? Dat hij haar om zijn vinger kon winden? 'Onder andere,' zei ze zacht en ze bleef hem aankijken. 'Ik weet helemaal niets van jou, terwijl jij van alles over mij weet.'

Boy knikte. *'Allright, that's fair.'* Hij leunde achterover. 'Ik heet Vincent en ben achttien jaar oud. Ik spreek nooit af met meisjes via internet, maar jij was zo bijzonder.'

Janine schoot in de lach. 'En dat moet ik geloven?'

'Geloof het of niet,' ging Vincent verder. 'Ik vind je leuk en ik wil je alleen maar helpen. Lieve Janine, ik wil veel vaker met je chatten. Waarom denk je dat ik die computer voor je regel?'

Janine begon te twijfelen. Het klonk allemaal heel aannemelijk. 'Ik wil je wel geloven, maar...' Ze beet op haar onderlip. 'Waarom lieg je dan over je leeftijd?' vroeg ze. 'En hoe wist je mijn naam?'

Vincent begon zijn geduld te verliezen. 'Ja, hoor eens!' Hij boog zich naar voren. 'Jij zette dat filmpje op internet. De hele wereld weet jouw naam!'

'Filmpje, filmpje,' riep Janine boos. 'Wat klets je nou, man! Ik weet niets van een filmpje.'

Vincents ogen flikkerden. 'Luister, Janine,' siste hij. 'Wil je een computer of niet?'

Janine schrok van de agressieve toon in zijn stem. 'Nee, bedankt!' Ze stond op en wilde weglopen, maar Vincent pakte haar hand. 'Sorry,' zei hij op zachte toon. 'Dat was niet de bedoeling. Ga nog even zitten.'

Janine aarzelde.

'Toe, het spijt me.' Vincent trok haar zacht terug op haar stoel. 'Ik vind het gewoon vervelend dat je mij niet gelooft. Geef me een paar minuten om het uit te leggen. Ik beloof je dat je anders over mij zult gaan denken.' Hij keek naar het lege glas van Janine. 'Wil je nog wat drinken?'

En voordat Janine kon antwoorden, riep hij de serveerster al.

HOOFDSTUK 11

Nikki fietste als eerste de Hoofdstraat in. De ijssalon was niet ver meer. Valerie en Saartje fietsten achter haar aan.

'Als ze er niet is, haak ik af,' riep Nikki. 'Myren rekent op mij.' Ze stuurde behendig langs de bloembakken die langs de kant van het fietspad stonden en stopte bij het fietsenrek. Haar blik viel meteen op de roze fiets die in het rek stond. Ook Valerie en Saartje herkenden de fiets van Janine.

'Ze is dus in de buurt,' zei Saartje, die haar fiets op slot zette.

De drie meiden keken naar de rij mensen voor de ijssalon.

'Ik zie haar niet,' mompelde Nikki. Haar blik ging naar het terras dat aardig vol zat. 'Misschien zit ze buiten?'

Ze liepen in de richting van het terras.

'Daar!' Saartje bleef staan en wees naar een van de tafeltjes. 'Ze is met een jongen.'

Verbaasd staarden de drie vriendinnen naar de rug van Janine. Ze was zo te zien druk in gesprek met een jongen die tegenover haar zat.

'Wie is dat?' vroeg Valerie.

'Geen idee,' zei Saartje. 'Maar daar komen we snel genoeg achter. Kom mee!'

Nog voordat Nikki en Valerie konden reageren, was Saartje overgestoken. Zwijgend volgden ze haar tot aan de ingang van het terras.

'Wat stom, zeg,' siste Saartje. 'Ze flirt gewoon stiekem met andere jongens.'

Op dat moment stond Janine op en zagen ze de jongen haar hand pakken.

'Kijk nou,' siste Valerie.

Ze zagen dat Janine weer ging zitten.

'Lekker dan!' mompelde Saartje. 'En tegen ons zeggen dat ze thuis zit!'

'Die jongen is minstens zeventien,' zei Valerie. 'Wat moet ze met die gozer?'

'Erger nog: waar heeft ze hem opgedoken?' vulde Saartje aan.

Nikki had al die tijd niets gezegd. 'Kom,' zei ze. 'We vragen het haar gewoon.'

De drie meiden liepen het terras op en bleven vlak achter Janine staan. De jongen, die zijn hand had opgestoken naar de serveerster, keek verbaasd naar het drietal achter Janine. Op dat moment draaide Janine zich om en staarde in drie paar vragende ogen.

'Dag, Janine,' zei Saartje op een slijmerige toon. 'Is het gezellig?'

Janines mond viel open, maar ze zei niets.

'Tong verloren?' Saartje ging op de lege stoel zitten. 'Stel je ons niet even voor aan je nieuwe vriend?'

Vincent ging staan en gaf Saartje een hand. 'Ik ben Vincent.'

'Dag, Vincent. Ik ben Saartje, de beste vriendin van Janine. Tenminste... ik dacht dat ik dat was.' Ze keek Janine heel fel aan.

Janine hapte nog steeds naar adem.

'Ook wat drinken, dames?' Terwijl Nikki en Valerie een stoel bijschoven, wachtte de serveerster geduldig totdat er besteld werd.

Saartje glimlachte. 'Toe maar, een rijke vriend ook nog.'

Ze bestelden alle drie een jus d'orange. Janine wilde niets.

'Wat leuk om jullie nu in het echt te ontmoeten,' zei Vincent toen de serveerster wegliep. Hij lachte. 'Jullie zijn echt geweldige actrices. Ik heb genoten van jullie act.' Hij boog voorover naar Valerie. 'Vooral jouw gekke bekken trokken de aandacht.'

Er viel een stilte. Het begon langzaam tot de meiden door te dringen wat Vincent bedoelde.

'Bedoel je...' Saartje keek naar Janine, die nog steeds

wezenloos voor zich uit staarde. 'Je hebt het gezien?'
Vincent knikte. 'Ja, geweldig. Ik leg net aan Janine
uit wat jullie voor haar hebben gedaan.'
'In het geniep,' bromde Janine. 'Wie is hier nu een
echte vriendin?'
'Het was een verrassing,' stamelde Valerie. 'We wilden…'
'Leuke verrassing,' zei Janine. Ze stond op. 'Ik moet
weg.'
'Janine, wacht!' Vincent kwam naast haar staan. 'Hoe
bereik ik je weer? Zonder computer…'
Janine liet hem niet uitspreken. 'Dag, Vincent!' Met
grote stappen liep ze het terras af.
De serveerster kwam aangelopen en zette de drie
glazen jus d'orange op tafel. 'Dat is dan negen euro
zestig, meneer.'
Vincent wilde achter Janine aan lopen, maar de ser-
veerster hield hem tegen. 'Eerst betalen, meneer.'
Vincent kon niet anders dan zich omdraaien en be-
talen. Toen hij klaar was, was Janine verdwenen.
'Bedankt,' zei Saartje en ze hief haar glas.
'Ach, stik jij!' riep Vincent en hij liep het terras af.
'Gezellig type,' zei Valerie.
'Janine heeft heel wat uit te leggen,' zei Saartje.
'Dat geldt ook voor ons,' antwoordde Nikki, die
haar glas in één keer had leeggedronken. 'Janine is
echt boos.' Ze keek op haar horloge. 'Ik moet gaan.
See you tomorrow!'

Janine fietste als een bezetene door het park. Een oudere man die zijn hondje aan het uitlaten was, wist zich met een noodsprong te redden en schreeuwde dat ze moest uitkijken. Janine minderde vaart. De man had gelijk. Met haar benen gestrekt langs haar fiets liet ze de fiets uitrijden en stopte bij een bankje aan de kant van het grote grasveld. Ze zette haar fiets tegen de bank en ging zitten. Haar hoofd tolde van alles wat ze gezien en gehoord had het afgelopen halfuur. Ze had Boy ontmoet, die Vincent bleek te heten en een stuk ouder was dan hij zich had voorgedaan. Haar vriendinnen hadden een filmpje op YouTube gezet met haar in de hoofdrol. De leugens die ze had verteld, ook tegen Niels.

Janine keek op haar horloge. Het was bijna drie uur. Ze sprong op en pakte haar fiets. Als ze snel was, kon ze nog op tijd zijn voor de prijsuitreiking. Er was heel veel gebeurd waar ze niets meer aan kon doen, maar dit kon ze goedmaken. Met een beetje geluk zou het goedkomen met Niels. Hij wist van niets. Ze hoefde er alleen maar te zijn!

Ze sneed een stuk af over het grasveld, stormde de Parklaan in en was binnen vier minuten bij de sportvelden waar het toernooi werd gehouden. De fietsenrekken stonden bomvol met fietsen. Janine had geen tijd meer om een leeg plekje in de rekken te zoeken. Ze smeet haar fiets op de grond en liep door het hek naar de kantine waar zich heel wat mensen verzameld hadden. Janine liep haastig naar binnen.

Op dat moment klonk er gepiep en een mannenstem schalde door de boxen. Janine wurmde zich door de menigte heen, totdat ze zicht had op het kleine podium achter in de zaal. Niels en Myren stonden naast elkaar. Bij hen stonden nog twee jongens en twee meisjes. De man achter de microfoon schraapte zijn keel en maande iedereen tot stilte.

'Janine!'

Janine keek in de richting van de stem en zag het gezicht van Nikki iets verderop in de menigte. Ze glimlachte flauwtjes.

Terwijl de man begon te praten, kwam Nikki haar kant op en even later stonden ze naast elkaar. 'Ze hebben in ieder geval een beker,' zei Nikki en ze wees naar het podium. 'Dit zijn de nummers één, twee en drie.'

'Mooi.' Janine had geen behoefte om meer te zeggen.

'Ben je nog steeds boos?'

'Wat denk je nou?' siste Janine. 'Dat ik het allemaal grappig vind? Ik moest nota bene van een wildvreemde horen dat ik op internet sta.'

Nikki kwam nog dichterbij staan. Ze moest het geluid van de boxen overstemmen. 'We wilden helpen.'

'En? Plan geslaagd?'

'Nee, niet echt.' Nikki legde een hand op haar schouder. 'Maar wij zijn niet de enige sufferds. Jij hebt ons ook voorgelogen.' Ze keek naar het podium. 'En Niels.'

'Eén één,' mompelde Janine, die wist dat Nikki gelijk had. Ze keek naar Niels, die samen met Myren zojuist een grote beker in ontvangst nam. 'Ze hebben gewonnen!'

Nikki draaide zich om en staarde met open mond naar het podium. 'Nee? Echt?' Een luid gejuich steeg op en Janine en Nikki deden uitbundig mee. Van alle duo's hadden Niels en Myren het het beste gedaan.

Heel even kruiste Janines blik die van Niels. Een glimlach verscheen op zijn gezicht en Janine wist dat het goed was. Ze was enorm stom geweest om haar verkering met Niels op het spel te zetten voor... ja, voor wat? Misschien was het maar goed ook dat ze geen computer had. Het gaf alleen maar narigheid.

De volgende dag waren Myren en Niels de helden van de school. Natuurlijk pronkte de beker op de tafel van de meester. Janine genoot van de opperbeste stemming van Niels. Het maakte dat ze niets hoefde uit te leggen over haar vreemde buien van afgelopen week. Als de meiden nu hun mond hielden, was er niets aan de hand.

Nikki was heel aardig tegen haar. Met haar had ze het min of meer goedgemaakt. Saartje en Valerie had

ze na gistermiddag op het terras niet meer gesproken. Vanochtend op school hadden ze haar zoveel
mogelijk ontweken en Janine wist dat het broeide.
Er moest iets gebeuren!

Het was pauze en Niels liep hand in hand met Janine
het schoolplein op. 'Je bent weer helemaal de oude,'
zei hij. Hier en daar klonk gejoel, maar Janine trok
zich daar niets van aan. Ze vond het heerlijk dat het
weer goed was met Niels.

'Pas maar op,' siste Saartje, die voorbijliep. 'Het kan
zomaar ineens weer anders zijn.'

Niels lachte. 'Weet ik! Elke maand, toch?' Hij gaf
Janine een knipoog. 'Geeft niets, hoor. Doe jij maar
lekker chagrijnig af en toe.'

'Niels, voetballen?' Myren liet Nikki los en schopte
de bal voor zich uit. De jongens renden naar het grasveld.

'Zullen we meedoen?' vroeg Nikki.

Janine schudde haar hoofd en keek naar Saartje en
Valerie, die bij het hek stonden. 'Nee, ik wil dit op-
lossen.' Met opgeheven hoofd liep ze naar de twee
meiden toe. Nikki volgde haar.

'We moeten praten,' zei Janine toen ze voor haar
vriendinnen stond.

Saartje en Valerie zeiden niets.

'Ik ben boos en jullie zijn boos,' ging Janine verder.

'Wij zijn lekker bozer,' zei Valerie en ze keek trots
naar Saartje.

'Doe niet zo belachelijk,' siste Saartje en Valeries gezicht betrok.

'Ik wil dat filmpje zien,' zei Janine en ze glimlachte. 'Ik hoorde van Vincent dat het heel grappig was.'

'Was het ook,' bromde Saartje. 'Alleen heeft het niets opgeleverd, alleen maar narigheid.'

'Toch wil ik het zien.' Janine schoof met haar voeten heen en weer over de grond. 'Het spijt me dat ik heb gelogen tegen jullie en Niels.' Ze keek naar Niels, die net de bal in het doel trapte en juichend wegliep. 'Het was het niet waard.' Ze wees naar het bankje. 'Als jullie het hele verhaal willen horen...?'

Nieuwsgierig liepen de meiden achter Janine aan naar het bankje en gingen zitten. Even later luisterden ze ademloos naar Janines verhaal.

'Wat een griezel,' zei Valerie toen Janine klaar was.

'Hij had wel een computer voor me,' zei Janine. 'Daar kan ik nu naar fluiten.'

'Je wilde dat ding toch niet echt van hem kopen?' opperde Nikki.

'Ik weet het niet.' Janine zuchtte. 'Nu heb ik niks.'

'Je hebt ons,' zei Nikki.

'En Niels,' viel Valerie bij.

'Ja, maar ik kan niet met jullie chatten en ik mis steeds die leuke dingen waar jullie het op school over hebben. Filmpjes, berichtjes, foto's... zonder computer is het leven saai.'

'We bedenken wel iets anders,' zei Saartje. 'Vanmiddag bij mij? Dan gaan we het filmpje bekijken.' Ze lachte. 'En alle stomme mails die ik nog steeds krijg. Dus zo leuk is internet niet.'

De rest van de dag verliep rustig. Janine was blij dat alles opgelost was en dat ze weer samen konden lachen en kletsen. Razend nieuwsgierig fietste ze 's middags met de meiden mee naar Saartjes huis. Het filmpje vond ze hilarisch. Met kramp van het lachen bekeek ze het filmpje meerdere keren en steeds lagen de meiden in een deuk.

'Geen wonder dat Vincent mij herkende,' gierde Janine. 'Zoiets valt inderdaad op.' Ze wreef de tranen uit haar ogen. 'Alleen stom dat jullie mijn voornaam, achternaam en woonplaats hebben genoemd. Met foto nog wel. De hele wereld weet nu dat ik geen computer heb.'

'Dat was ook de bedoeling,' zei Valerie en ze keek schuldig. 'We hadden alleen moeten bedenken dat engerds en weirdo's dit filmpje ook te zien zouden krijgen. Internet zit er vol mee. Stom!'

'Geeft niet,' zei Janine. 'Ik ben er ook ingetrapt. Als ik ooit een computer krijg, denk ik twee keer... nee, wel tien keer na voordat ik iets over mezelf vertel.'

Op dat moment klonk er een piep en Janine haalde haar mobieltje uit haar broekzak. 'Mijn moeder,' zei ze verbaasd. 'Hoi, met Janine.'

Haar vriendinnen keken zwijgend naar Janines gezicht, dat langzaam van uitdrukking veranderde.

'Mam...' Janine liep naar de deur. 'Ja, dat weet ik, maar...' Ze zuchtte. 'Dat hebben Saartje, Valerie en Nikki gemaakt. Ik wist het niet. Ja, mam, dat snap ik.' Ze wuifde met haar hand naar haar vriendinnen, liep de gang op en sloot de deur. De stem van haar moeder ratelde door. Janine luisterde geconcentreerd. Dit kon niet waar zijn!

Na een paar minuten hing ze op. Met een verhit gezicht stormde ze de kamer van Saartje in. 'Ik moet gaan!'

'Problemen?' vroeg Saartje aarzelend.

'Ja en nee,' antwoordde Janine.

'Het is niet jouw schuld,' reageerde Nikki. 'Zeg maar tegen je ouders dat wij het gedaan hebben. Jij kon er niets aan doen.'

'Dat weten ze al,' zei Janine, die haar tas pakte. 'Doei!'

De volgende dag werd Janine bedolven onder vragen van haar vriendinnen.

'En? Waren je ouders erg boos?' Nikki praatte gehaast.

'Heb je straf?' vroeg Saartje.

'Wat is er gebeurd?' Valerie barstte van nieuwsgierigheid.

Janine haalde diep adem. 'Jullie zullen het niet geloven.'

'Zie je wel,' zei Valerie. 'Je ouders hebben het filmpje gezien en nu zijn ze woedend.'

'Nee, nee.' Janine glimlachte. 'Eh ja, natuurlijk waren ze eerst wel boos, maar dat is nu allang weer over.'

'O, gelukkig,' zei Nikki. 'Dus alles is oké?'

'Nou en of.' Janine straalde. 'Ik heb een fantastische middag gehad. Er kwam zelfs nog bezoek.'

'Je opa en oma?' flapte Valerie eruit.

Janine schoot in de lach. 'Nee, die niet. Het waren mensen van een bekend computermerk.'

Haar vriendinnen zwegen.

'Ze hadden een afspraak bij mij thuis. Mijn vader was er ook.' Janine wachtte even. 'Die mensen hebben het filmpje op internet gezien en vonden het zo leuk dat ze het willen gebruiken voor hun reclame-campagne.'

'Dat meen je niet!' Saartje keek teleurgesteld. 'Maar waarom kwamen ze dan niet bij mij? Mijn naam stond er in koeienletters op. Ik heb het filmpje toch gemaakt?'

'Ze wilden eerst met mijn ouders praten,' legde Janine uit. 'Omdat ik te zien was. Via mijn naam en woonplaats zijn ze bij mijn ouders terechtgekomen. Die schrokken zich natuurlijk kapot. Ze wisten nog van niets. Ik heb ze uitgelegd hoe het is gegaan en ze begrijpen nu dat het goedbedoeld was.'

'Goedbedoeld maar uit de hand gelopen,' mompelde Saartje.

'Ja.' Janine vertelde verder. 'Die mensen gaan nu

ook jullie ouders bellen. Ze willen van iedereen toe-stemming.'

Saartje schrok. 'Waarom? Ze moeten mij bellen! Ik beslis of ze dat filmpje krijgen, niet mijn ouders.' Ze sloeg haar armen over elkaar heen. 'Trouwens, ik ben niet van plan om dat filmpje af te staan. Ze kunnen de pot op.'

'Ze geven een computer!' riep Janine, die het niet langer voor zich kon houden. 'Ik krijg een computer als ze dat filmpje mogen gebruiken.'

'Ja, jij!' bromde Saartje. 'Wat schiet ik daarmee op? Weet je wel hoeveel we kunnen vragen aan zo'n be-drijf? Ze komen ervan af met een schijntje.'

'Hoezo? Vier superdeluxe computers met alles erop en eraan, met een gratis abonnement voor de komen-de tien jaar. Dat is toch geweldig?'

'Vier?'

'Ja, vier! Jullie krijgen er ook eentje.'

Saartje was even stil, maar het geschreeuw van Valerie en Nikki was oorverdovend. Een paar kinderen op het schoolplein keken om.

'Nu hoef ik niet meer op mijn moeders computer,' riep Nikki.

'En ik ben niet meer zo traag,' zei Valerie. 'Nou ja, mijn computer dan.'

Saartje keek naar Janine. 'Eentje erbij is altijd wel-kom,' zei ze met een glimlach. 'Kan ik bestanden splitsen en...'

'Zie je nou wel,' viel Janine haar in de rede. 'Dit is echt fantastisch! Jullie plannetje heeft gewerkt. En er is niet één computer gekomen, maar vier!'

Een paar weken later zat Janine in de kamer achter haar computer. Dat het apparaat in de huiskamer was geplaatst, vond ze niet erg. Ze wist nu dat de bezorgdheid van haar ouders niet voor niets was. Ze had zelf gemerkt hoe gevaarlijk internet kon zijn. Hun filmpje was door het computerbedrijf de hele wereld over gestuurd met de boodschap dat mensen toch echt het best dat ene merk konden aanschaffen. Wel hadden ze de naam van Janine veranderd en de woonplaats en het e-mailadres van Saartje weggelaten. Daarvoor in de plaats kwamen de gegevens van het computerbedrijf. De ouders van de meiden hadden toestemming gegeven en na twee weken hadden ze alle vier hun computer en aansluiting gekregen.

Yes9 zegt: Wat zijn jullie aan het doen?

Super V zegt: Niets.

Lady NikNik zegt: Zullen we naar het plein?

Girlpower zegt: OK, hang toch maar voor dit scherm.

Yes9 zegt: Trommel de jongens op. Gaan we trefballen. Ik bel Niels.

Lady NikNik zegt: Ik Myren.

Super V zegt: Ik bericht Thijs en Cem.

Girlpower zegt: Saar zorgt voor de rest.
Tot zo!

Janine sloot haar computer af en liep naar de gang.
'Ik ga naar het plein.'
Haar moeder kwam aangelopen met een lege bood-schappentas. 'Ik ga naar de winkel. Ben je al klaar met de computer? Je mag nog een kwartier.'
Janine glimlachte. Ze merkte dat ze nu ze een com-puter had, het lang zo spannend niet meer vond. Met haar vrienden en vriendinnen op het plein trefballen was veel leuker dan in je eentje achter zo'n scherm zitten.
'Hoeft niet, mam!' Janine trok haar jas aan en liep naar buiten. 'Het is veel te mooi weer om binnen te zitten.'